Nourrir les oiseaux en hiver

Nourrir les

CLIVE DOBSON

oiseaux en hiver

AVEC LES HOMMAGES DU
MINISTERE DES AFFAIRES CIVIQUES
ET CULTURELLES DE L'ONTARIO

Traduction de Geneviève Manseau
Conseiller pour la traduction: Jacques Prescott

FRANCE~AMÉRIQUE

Édité et distribué par les
Éditions France-Amérique
170 Benjamin Hudon
Montréal, Québec
H4N 1H8
Tél. : (514) 331-8507

Édition originale:
Feeding Wild Bird in Winter

© Clive Dobson, 1981
© France-Amérique, 1982

ISBN 2-89001-147-X

Sommaire

Remerciements

Mes plus vifs remerciements à Lionel Koffler pour m'avoir donné l'idée d'écrire cet ouvrage, à Nori Nakashima pour m'avoir aidé, par ses conseils et sa patience, à le réaliser, à Wayne Kelosky et à Mark Thurman pour m'avoir assisté dans la tâche de l'illustrer et à Kathy Vanderlinden pour avoir accepté de le publier. Merci enfin à ma mère et à mon père qui ont commencé à nourrir les oiseaux bien avant que j'en aie le moindre souci.

Chaque nouvelle année nous réserve une surprise. Nous découvrons que nous avons littéralement oublié le chant de chaque oiseau, et lorsque nous l'entendons de nouveau, le souvenir nous en revient comme d'un rêve qui nous rappellerait un stade antérieur de notre existence.

Comment se fait-il que les associations ainsi éveillées dans notre esprit soient toujours agréables, jamais attristantes? Réminiscences de nos meilleurs moments? La voix de la nature est toujours encourageante. [1].

H. Thoreau, *Walden*

---

1. Traduction libre. Il existe une version française de cet ouvrage publiée chez Aubier (Paris) sous le titre *Walden ou la vie dans les bois.* N. d. T.

1

Se préparer pour l'hiver:
un programme simple

Tache rouge sur un fond de paysage enneigé, un couple de Cardinaux vient se poser sur la mangeoire qui s'élève à quelques pieds à peine de la fenêtre de la cuisine. Ils reviennent une fois de plus, en ce froid matin, picorer les graines de tournesol disposées là à leur intention.

Voilà bien un de ces spectacles gratifiants qui sont la récompense des programmes d'alimentation mis en œuvre par maintes personnes dans le but d'aider les oiseaux à passer au travers de la saison froide. Il est heureux que l'alimentation des oiseaux en hiver connaisse du succès, car, sans cela, beaucoup d'oiseaux seraient incapables de se sustenter dans les latitudes neigeuses de notre continent. Plus que jamais, les oiseaux en sont arrivés à dépendre de la nourriture constamment disponible que nous disposons à leur intention dans nos jardins.

Mettre au point un programme d'alimentation est peu coûteux et, avec du bon sens, peut se révéler une affaire simple. Il vous est loisible de transformer votre cour en cirque en la pourvoyant de toute la batterie des gadgets qui se vendent aujourd'hui, mais une cour, un peu de nourriture, quelques mangeoires suffisent amplement aujourd'hui.

Bien que cet ouvrage traite essentiellement de l'alimentation des oiseaux en hiver — période la plus critique, car le reste du temps, les oiseaux peuvent trouver leur nourriture dans la nature plus aisément* — l'on ne devrait pas non plus écarter la possibilité d'une alimentation qui dure toute l'année. La présence d'oiseaux sauvages dans votre cour durant les saisons plus chaudes peut faire merveille dans votre potager. Mieux que n'importe quel produit chimique à usage unique, une petite population locale d'oiseaux arrive à tenir en respect mauvaises herbes et insectes. Les oiseaux ne présentent pas de risques pour l'environnement, ils le mettent plutôt en valeur.

Quand vous aurez pris soin tout un hiver de quelques oiseaux affamés, vous les verrez peut-être au printemps exprimer leur reconnaissance par le choix de l'un de vos arbres pour élever leur nichée.

La première neige nous prend toujours un peu à l'improviste. De voir le sol si complètement recouvert nous amène à nous demander comment l'ensemble du monde animal, oiseaux et autres bêtes, fera pour se procurer de la nourriture. C'est le moment pour vous de mettre en branle un programme d'alimentation régulier.

Vous devriez, en fait, commencer à exécuter ce programme à la mi-automne: c'est probablement la date la plus tardive que l'on puisse se fixer comme échéance, car il faut que les oiseaux se familiarisent avec l'aire d'alimentation que vous leur proposez. Ils seront alors plus susceptibles d'inclure votre terrain dans leur territoire d'alimentation quand le temps devient froid et neigeux.

Si c'est la première fois que vous entreprenez un programme d'alimentation des oiseaux, voici un certain nombre de démarches que vous pouvez entreprendre immédiatement:

1. Trouvez un peu de pain rassis (mais le pain frais fait également l'affaire), des craquelins, des céréales, des raisins secs, des noix, des graines ou du maïs soufflé.

2. De l'autre côté de la fenêtre de votre choix, disposez ça et là l'un de ces aliments faciles à trouver ou un mélange d'entre eux sur un espace découvert de 60 cm² (6 pi.²) ou un coin que vous aurez aménagé sur votre terrain en tassant la neige. Si vous ne possédez pas de cour, vous devrez probablement vous contenter d'un toit ou d'un rebord de fenêtre abrités. Vous pouvez aussi vous servir du dessus d'une table à pique-nique ou de souches. Certains oiseaux préfèrent un perchoir. Vous trouverez au chapitre 4 des indications pour construire quelques mangeoires simples.

3. Observez. Afin de mieux comprendre ce qui se passe réellement devant vous, je ne saurais trop vous recommander de vous procurer des jumelles.

Soyez patient. Il faut un peu de temps aux oiseaux de la région pour découvrir qu'ils ont à leur disposition une nouvelle aire d'alimentation.

À partir du moment où votre aire d'alimentation attire des oiseaux de façon régulière, votre programme peut devenir plus complexe. Vous aurez peut-être envie d'essayer des aliments de type spécial en vue d'attirer certaines espèces en particulier ou de construire des mangeoires plus élaborées ou encore de transformer tout votre jardin en habitat pour oiseaux. Il ne fait pratiquement aucun doute que votre intérêt et votre amour pour les oiseaux et l'ornithologie iront croissants.

Dans les chapitres qui suivent, le lecteur trouvera les éléments essentiels pour la mise en œuvre de programmes d'alimentation des oiseaux en hiver, du plus simple au plus complexe; pour la détermination des espèces d'oiseaux — d'après leur aspect et leur comportement; pour la connaissance de leur alimentation; pour la fabrication de mangeoires à leur intention; pour la création d'un habitat qui leur soit propre; il y trouvera enfin exposés les problèmes qu'il peut rencontrer avec leur solution.

Moyennes de températures minimales en hiver, par régions (celsius)

1 de −40° à −50°
2 de −30° à −40°
3 de −20° à −30°
4 de −10° à −20°
5 de   0° à −10°
6 de   10° à   0°

Les parties hachurées désignent les principales zones où la pratique d'alimenter les oiseaux en hiver a modifié le comportement migratoire de nombreuses espèces.

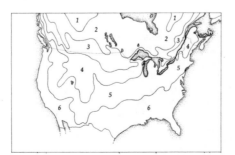

2 Les oiseaux que l'on peut nourrir en hiver

Le présent chapitre fait mention d'environ cinquante espèces d'oiseaux que l'on peut nourrir ou aider d'une façon quelconque en hiver. Il s'agit là d'une petite partie des quelque 750 espèces fréquentant notre continent au moins pendant une partie de l'année. La quantité d'oiseaux qui hivernent dans les régions enneigées a augmenté de façon considérable ces dernières années. Il y en a beaucoup cependant que vous avez peu de chances d'attirer à vos mangeoires, car leur nature indépendante les tient pour la plupart éloignés de la civilisation, les faucons et les hiboux, par exemple.

Même parmi le nombre limité d'espèces bien connues des Nord-Américains, on peut remarquer une incroyable variété de formes et de comportements. La comparaison d'un Grand Pic avec un Troglodyte des forêts en donnera une petite idée.

Par l'observation de ces espèces à faible distance, l'occasion nous est offerte d'acquérir une vision plus réaliste sur tous les êtres vivants. Ce ne sont pas seulement les oiseaux eux-mêmes que nous observons, mais leur rôle dans le monde et leur contribution à l'univers.

Ictéridés

Mainate bronzé

Zone d'hivernage: régions méridionales des Grands Lacs jusqu'à la Floride, États de l'intérieur jusqu'à ceux du centre.

Habitat: champs de fermes, petites villes, bosquets d'arbustes: se nourrit normalement au niveau du sol.

Description: Mâle: mesure 33 cm (13 po.), est d'un noir chatoyant, éclairé seulement de reflets bleu violacé, verts et bronze dans la région de la tête et des épaules. *Femelle:* légèrement plus petite, d'un coloris tirant davantage sur le brun.

Le Mainate bronzé

Les Mainates, qui ont vu grossir lentement leur nombre pendant la dernière décennie, ont modifié leur comportement migratoire: ils demeurent à présent plus au nord durant les mois d'hiver. Ces gros Ictéridés (ou oiseaux noirs) sont des habitués des mangeoires situées dans des régions aussi nordiques que le New Hampshire, le Vermont et le sud de l'Ontario et du Québec. Ils sont bien adaptés à l'environnement humain et on les voit souvent errer à la recherche des reliefs des casse-croûte, pain ou autres restes, dans les parcs et les haltes pour pique-nique en bordure des routes. Normalement, les Mainates préfèrent se nourrir au sol, bien soutenus en cela par leurs pattes, grosses et agiles. Au lieu de sautiller à la manière des Merles d'Amérique, pour avancer, ils placent un pied loin devant l'autre et accompagnent leur déplacement de mouvements d'avant en arrière. Leur queue, longue et large, sert de balancier. Nourrir les Mainates est chose simple — ils mangent pratiquement n'importe quoi. Il leur arrive parfois, lorsqu'ils sont en bande, de gêner l'approche d'autres oiseaux, plus petits.

Quand leur présence devient un problème, il peut se révéler nécessaire de réduire l'alimentation au sol et de restreindre la quantité de pain et de restes que vous mettez à l'extérieur. Dans les périodes de pénurie de nourriture, vous pouvez vous attendre à les voir aux mangeoires où ils consommeront tout ce que vous avez laissé. Les Mainates sont capables à l'occasion de se montrer assez méchants à l'endroit d'autres oiseaux; vous jugerez peut-être bon, dans ces conditions, de les nourrir dans un endroit à part, de pain ou de gâteaux rassis. Grâce à la dimension de leur bec, ces oiseaux peuvent emporter de gros morceaux de nourriture à la fois. Les Mainates se sont si bien adaptés aux rapides transformations par lesquelles passe ce continent que nous pouvons nous attendre à les voir rester parmi nous pour toujours.

Carouge à épaulettes

Zone d'hivernage: anciennement limitée aux États du sud et aux Antilles, l'aire d'hivernage de cet oiseau semble s'étendre davantage vers le nord en remontant le Mississipi jusqu'à des points aussi avancés que les Grands Lacs et le littoral de l'Est jusqu'à la hauteur de la pointe sud de la Nouvelle-Écosse.

Habitat: marais à découvert, champs, régions de terres basses couvertes de broussailles, prés.

Description: mesure 22,8 cm (9 po.). *Mâle:* d'un noir intense éclairci sur l'épaule d'une tache rouge, bordée d'une petite bande jaune. *Femelle:* fond brunâtre parcouru de rayures foncées en forme de mouchetures.

Normalement, la présence de cet oiseau coïncide avec le printemps. Bien qu'ils se méfient des humains, les Carouges à épaulettes se sont mis à fréquenter plus souvent les mangeoires pendant les périodes de pénurie de nourriture. À l'instar du Mainate bronzé, le Carouge à épaulettes mangera pratiquement tout ce qui sert normalement de nourriture aux autres oiseaux. S'il rend visite à votre mangeoire, il le fera en compagnie d'une bande nombreuse et ne restera qu'un petit moment. Attendez-vous à des apparitions plus nombreuses de cette espèce d'oiseaux pour les années à venir, car elle est actuellement en voie d'acclimatation.

Vacher à tête brune

Zone d'hivernage: la même que pour le Carouge à épaulettes, mais dispersion au nord légèrement plus étendue.

Habitat: orée des bois, bosquets en bordure des rivières, terres cultivées en bordure des routes.

Description: Mâle: mesure 17,8 cm (7 po.). Tête brune sur un corps noir. *Femelle:* d'un riche ton de gris, reconnaissable à son bec, analogue à celui d'un Pinson. Mâle et femelle de taille plus petite que le Carouge à épaulettes ou le Mainate bronzé.

Le Vacher à tête brune est facilement reconnaissable à sa queue qu'il tient à la verticale lorsqu'il s'alimente au sol. Comme le Carouge à épaulettes, cet oiseau voyage habituellement en bande, prenant sa nourriture de préférence au niveau du sol et, à l'occasion, dans les mangeoires.

Ses visites en hiver ne sont pas aussi courantes que pendant les autres saisons; certains individus de cette espèce, en effet, émigrent à bonne distance au sud, jusqu'au nord du Mexique. Au moment de la couvaison, au printemps, la femelle dépose ses œufs dans les nids d'autres oiseaux où sa progéniture sera élevée par un parent adoptif.

Grimpereaux

Grimpereau brun

Zone d'hivernage: Alaska, Canada jusqu'au Nicaragua, régions forestières du nord-est surtout. La plupart de ces oiseaux quittent les régions les plus au nord en hiver.

Habitat: régions boisées.

Description: mesure 12,7 cm (5 po.). Queue rigide distincte du corps et bec fin incurvé. bien camouflé par la partie dorsale de son corps, d'un gris brunâtre moucheté au dessous blanc.

Ces petits oiseaux sont difficiles à repérer à cause de leur coloris et de leur type de plumage analogues à l'écorce des arbres. Mais on peut les reconnaître facilement au mouvement caractéristique de spirale vers le haut qu'ils décrivent en grimpant aux arbres à la recherche de minuscules insectes. Leur queue rigide leur sert de point d'appui pendant l'ascension. Ces oiseaux accepteront volontiers du beurre d'arachide ou du suif étalés sur des troncs d'arbres. Une bûche disposée à la verticale qu'on aura enduite de suif attirera également les Grimpereaux bruns.

Fringillidés

Bruant des neiges

Zone d'hivernage: se déplaçant de l'Arctique jusqu'au centre de l'Amérique du Nord sans dépasser la région des Prairies des États du centre.

Habitat: prairies, terres cultivées à découvert, régions dénuées de végétation ou fort peu boisées.

Description: mesure 17,8 cm (7 po.). Blanc en été à l'exception du dos et du bout des ailes qui sont noirs. Dessous presque entièrement blanc. En hiver, les parties blanches prennent un coloris d'ocre, et le dos noir devient moucheté de brun.

Contrairement à la plupart des oiseaux, le Bruant des neiges préfère se nourrir à découvert au niveau du sol où il peut trouver de plus petites graines. Ces oiseaux sont acclimatés au froid. Pendant les mois d'été, ils préfèrent les régions de toundra nordiques de l'Arctique qu'ils occupent tout autour du globe. Les Bruants des neiges traversent de grandes distances en bande, dans leur quête quotidienne de nourriture. Du moment que l'espace découvert abonde, ces oiseaux seront attirés par les graines de n'importe quel type, éparpillées sur la neige. Le Bruant des neiges est l'un des rares oiseaux assez résistants pour affronter les cruels hivers des prairies.

Cardinal rouge

Zone d'hivernage: moitié sud des Grands Lacs, sud des États de la Nouvelle-Angleterre jusqu'au Mexique; pénétration à l'intérieur jusqu'aux États du centre.

Habitat: terrains boisés, lisière des forêts, jardins des petites villes — où il y a combinaison d'arbustes et d'arbres.

Description: mesure 22,8 cm (9 po.). *Mâle:* d'un rouge intense, plus foncé sur le dos, les ailes et la queue. Crête rouge vif, bec rouge, masque noir sur la face. *Femelle:* d'un coloris olive éclairé de rouge sur les ailes, la crête, la queue et le bec. Même masque que chez le mâle. L'un et l'autre possèdent de gros becs épais, bien faits pour casser l'enveloppe des graines.

De tous les oiseaux que l'on peut s'attendre à voir en hiver, le Cardinal est peut-être celui qui présente le coloris le plus vif. Il s'est bien adapté aux espaces plantés d'arbres des divers milieux urbains où il s'installe comme chez soi, mangeant pratiquement n'importe quoi, mais surtout les graines de tournesol de nos mangeoires. Par suite de la vogue de l'alimentation des oiseaux en hiver, les limites de sa dispersion au nord durant la saison froide reculent de plus en plus. Les Cardinaux ne voyagent pas en bandes nombreuses, mais plutôt par couples ou par petits groupes. Ils mangent la nourriture présentée sur des tables conçues pour cet usage, dans des mangeoires surélevées et dans des aires d'alimentation aménagées au sol.

Bec-croisé rouge

Zone d'hivernage: baie de James jusqu'à la moitié supérieure des Grands Lacs, Terre-Neuve jusqu'au Grand Lac des Esclaves, irrégulièrement au sud jusqu'aux États limitrophes.

Habitat: forêts de conifères.

Description: Mâle: mesure 15,2 cm (6 po.). Corps rouge terne, ailes et queue d'un noir brunâtre plus sombre. *Femelle:* corps gris olivâtre, ailes et queue d'un noir brunâtre plus sombre. Mandibules croisées (voir illustration) chez les deux sexes.

Coupe de la tête d'un Bec-croisé rouge montrant de singulières mandibules croisées qui permettent à cette espèce « spécialisée » d'extirper facilement les graines des divers cônes de conifères.

Bec-croisé à ailes blanches

Zone d'hivernage: semblable à celle du Bec-croisé rouge, la dispersion au nord s'étendant jusqu'aux confins du Labrador dans le cas de cette espèce — et se faisant encore plus rare au sud des Grands Lacs.

Habitat: forêts de conifères.

Description: même longueur que le Bec-croisé rouge: 15,2 cm (6 po.), mêmes mandibules croisées. *Mâle:* rouge tirant sur le rose. Barres blanches sur les ailes d'un noir plus foncé que celles du Bec-croisé rouge. *Femelle:* ne se distingue de la femelle du Bec-croisé rouge que par ses barres alaires blanches.

Voir des Becs-croisés aux mangeoires ne constitue pas un spectacle des plus courants. Sans doute à cause du caractère extrêmement spécial de leurs habitudes alimentaires. Leur régime naturel se compose presque entièrement des graines de cônes d'épinette, de pruche, de sapin et de certains pins qu'ils extraient facilement de leurs enveloppes à l'aide de leurs mandibules croisées aux pointes acérées. Les forêts de conifères denses de l'extrême-nord (en des points aussi reculés que les régions de toundra) sont l'habitat qui leur convient le mieux. Ils viendront occasionnellement aux mangeoires se nourrir de graines, celles du tournesol et d'autres, plus petites, provenant de plantes céréalières.

Roselin pourpré

Zone d'hivernage: forêts côtières du Pacifique, sud des Grands Lacs jusqu'en Floride et au Texas, États du nord-est, Québec et Nouvelle-Écosse.

Habitat: régions boisées, lisière des forêts, petites villes, bosquets d'arbustes.

Description: Mâle: mesure 14 cm (5½ po.). Corps rouge rosé, plus vif sur la tête, le croupion et la partie supérieure de la poitrine. Queue et ailes brunes nuancées de rose sur les plumes. *Femelles:* aucune trace de rose. Coloris brun, plus foncé sur les ailes et la queue, stries en forme de moucheures sur la poitrine, tache sombre près de l'œil et de la gorge.

Le Roselin pourpré est un hôte hivernal assez commun. N'était du coloris rose des mâles, on pourrait facilement prendre une volée de ces oiseaux pour des Moineaux. En comparaison de leur taille, ils possèdent d'assez gros becs à même de casser les graines de tournesol. Ils sont parfois confondus avec le Roselin familier (*Carpodacus mexicanus*), oiseau strié de façon semblable qui fut introduit dans nos régions en 1940 et s'est rapidement multiplié depuis. Le Roselin familier mâle a le corps d'un coloris plus près du vermillon et l'œil surmonté d'une raie saillante de couleur rouge. Sa femelle est identique à celle du Roselin pourpré, mais généralement d'une teinte plus pâle. Le Roselin familier est présentement confiné aux États de l'est ainsi qu'aux régions basses des Grands Lacs.

Ces deux espèces de Roselins mangeront des tonnes de graines de tournesol, n'acceptant d'autres graines qu'en second lieu.

NOURRIR LES OISEAUX EN HIVER

Gros-bec errant

Zone d'hivernage: Terre-Neuve jusqu'à la Floride, migration au sud irrégulière allant jusqu'au Texas et depuis l'ouest de la Floride, jusqu'au Mexique via les Prairies.

Habitat: forêts de conifères, zones plantées d'arbres des banlieues, arbustes, vergers.

Description: Mâle: corps jaune sale, queue et ailes noires, plage alaire blanche en saillie, coloris plus sombre sur la tête, jaune sur le front et sur le contour de l'œil, bec d'un ton pâle jaune verdâtre. *Femelle:* réplique du mâle en plus terne et sans les taches de la tête. Coloris gris olivâtre, taches blanches sur les ailes. Queue courbe et taille d'une grosseur inhabituelle pour les Fringillidés (approximativement 20,3 cm (8 po.) chez les deux sexes.

Le Gros-bec errant

La venue d'une volée de Gros-becs errants se produira d'une façon inattendue, car leurs habitudes migratoires sont extrêmement irrégulières. Leur arrivée s'accompagnera du départ de presque tous les autres oiseaux, à la merci de ces hordes voraces qui font des graines de tournesol une consommation de masse à peine croyable. Prenant une graine à la fois, d'un rapide coup de bec, ils cassent l'écale, avalent le fruit et attrapent la graine suivante, le tout en un seul mouvement. Quand une volée aura vidé vos mangeoires, il n'y restera plus qu'une gigantesque pile d'écales. Ces oiseaux sont si malpropres et gloutons que l'on trouve habituellement de grandes quantités de graines non ouvertes parmi les écales; elles tombent bien à propos pour nourrir d'autres espèces, plus lentes, s'alimentant au sol, qui en feront un tri.

Gros-bec des pins

Zone d'hivernage: à partir de l'ouest de Terre-Neuve via le haut St-Laurent jusqu'aux régions du nord des Grands Lacs, ceinture d'épinettes de l'ouest.

Habitat: forêts de conifères, régions boisées.

Description: Fringillidé de dimension plus grande que la normale — approximativement 22,8 cm (9 po.).

Queue plus longue, tête petite, bec tronqué, légèrement crochu. *Mâle:* rose sale, ailes d'un coloris ardoisé plus foncé, double bande blanche sur les ailes, queue d'un ton ardoisé foncé. *Femelle:* ne se distingue du mâle que par l'absence de rouge. Gris olivâtre sur la plus grande partie du corps, même coloris que chez le mâle sur l'aile et la queue.

Les Gros-becs des pins se tiennent plus au nord en hiver que la plupart des autres Fringillidés. Lorsque les hivers sont extrêmement rigoureux ou que l'approvisionnement en nourriture se fait rare, ils font invasion, semble-t-il, dans des régions moins nordiques. Ils seront attirés tant par les cultures appropriées que par tout aliment disposé à l'extérieur. Les Gros-becs des pins apprécient les arbustes porteurs de baies, les vergers, les plantes potagères où peuvent subsister des fruits ou des graines. Quand ils auront compris qu'il y a de la nourriture à leur disposition dans vos mangeoires, ils préféreront se nourrir au sol de groseilles, de graines de tournesol, de canneberges, de pommes. Ce sont des oiseaux d'un abord extrêmement facile — qui toléreront sans peine votre présence à l'extérieur de chez vous. Essayez de les nourrir dans votre main.

Junco du Nord
Junco ardoisé
Junco ardoisé à dos roux
Junco ardoisé à ailes blanches

Zone d'hivernage: espèce de l'est, ou Junco ardoisé: Grands Lacs, Terre-Neuve jusqu'aux États du sud. Espèces de l'ouest, ou « à dos roux »: Alaska, Ouest canadien, États du Pacifique sud. Junco ardoisé à ailes blanches: Black Hills du Dakota.

Habitat: forêts mixtes de conifères et de feuillus, lisière des forêts, bosquets d'arbustes.

Description: mesure 15,2 cm (6 po.). *Mâle:* coloris gris ardoisé, ventre blanc et rectrices externes blanches se découpant nettement sur le reste de la queue. Espèces de l'ouest: davantage de brun sur le fond blanc du ventre, dos brun. L'espèce à ailes blanches a des marques blanches sur l'aile. *Femelle:* semblable au mâle ou légèrement plus pâle.

Le Junco ardoisé

Le Junco est facilement reconnaissable en vol aux plumes blanches qui ornent la partie externe de sa queue.

Les Juncos de toutes espèces à qui il arrive de fréquenter votre secteur sont des oiseaux tranquilles, se nourrissant au sol; ils se montrent en bande dès que le temps devient mauvais. Il est très économique de donner à manger à de tels oiseaux, car ils ramassent la moindre graine tombée des mangeoires. Des tables basses et des souches disposées à la verticale constituent également des lieux d'alimentation appropriés. Le plus souvent, ces oiseaux aiment se nourrir sur des espaces découverts aménagés au sol, pourvu qu'il y ait aux alentours des arbustes ou des arbres où chercher abri. Tous les Juncos partagent cette particularité de chercher leur nourriture au sol. Dès que l'hiver s'abat sur les régions de la côte occidentale, vous pouvez escompter la présence de ces oiseaux: ils resteront tout le temps que la neige recouvrira le sol.

Sizerin à tête rouge
Sizerin blanchâtre

Zone d'hivernage: migration irrégulière en hiver du sud de la baie de James aux États du centre.

Habitat: forêts boréales, toundra, plantations d'arbustes, broussailles, mauvaises herbes.

Description: oiseau petit, de la taille d'un Moineau: 12,7 cm (5 po.), dos et côtés striés de gris brunâtre, sommet de la tête rouge, tache noire sur la gorge. Le mâle a une poitrine rose pâle. Le Sizerin blanchâtre a davantage de blanc sur la poitrine et la région du croupion.

Les Sizerins sont des oiseaux qui se reproduisent dans l'extrême-nord, sur la côte du Groenland, la Terre de Baffin et dans les alentours de la baie d'Hudson. En hiver, le Sizerin à tête rouge effectue une migration erratique vers le sud qui va jusqu'aux États du nord. La pénurie de nourriture peut l'amener à descendre de plus en plus au sud, mais on ne le voit guère aux mangeoires des cours de maisons. Lorsque des hivers exceptionnellement rudes s'abattent sur les régions nordiques et que la neige recouvre la plus grande part des mauvaises herbes basses, il arrive à ces oiseaux, dont la survie est intimement liée à la présence de ce type de végétation, source naturelle de graines, de se montrer en bandes. Les Sizerins blanchâtres viennent très rarement aux mangeoires, car leur zone d'hivernage se limite à leur territoire de reproduction dans l'Arctique, et leur migration vers le sud, dans les régions du nord des Grands Lacs, ne se produit que lors d'hivers extrêmement rigoureux. Tous les Sizerins sont d'un abord plutôt facile pour l'homme. Leur régime, aux mangeoires, comprend des graines de tournesol, de petites graines de plantes céréalières et du suif.

Chardonneret des pins

Zone d'hivernage: sud du Canada, parties supérieures des États de la Nouvelle-Angleterre, Terre-Neuve. Présence irrégulière au sud jusqu'aux États les plus au sud comme le Mexique.

Habitat: zones de mauvaises herbes dans les forêts de conifères et de feuillus, broussailles rabougries.

Description: mesure 11,4 cm (4½ po.). Portant de nombreuses stries, le corps du mâle, d'un brun terne, se teinte de jaune dans la région des ailes, du croupion et de la queue. Les raies des ailes et de la queue sont légèrement plus foncées que sur le reste du corps.

Il arrive très fréquemment que l'on voie des volées de ces oiseaux venir aux mangeoires. Lorsqu'ils s'y présentent, vous le constaterez peut-être, certains autres oiseaux, intimidés par ces minuscules Pinsons, seront obligés de céder la place. Leur bec petit et pointu est adapté à l'extraction des petites graines des mauvaises herbes et des cônes. Aux mangeoires, ils vont becqueter les écales vides de graines de tournesol, prenant le moindre morceau oublié par d'autres oiseaux. Mélanges d'aliments à picorer, millet et suif attirent les Chardonnerets des pins. Comme le Sizerin, ces oiseaux peuvent devenir très familiers. On leur enseigne facilement à prendre de petites graines dans la main. Leur corps fuselé et leur petite taille leur permettent de se nourrir à n'importe quel type de mangeoire.

Pinson fauve

Zone d'hivernage: sud de l'Ontario, États de la Nouvelle-Angleterre jusqu'au golfe du Mexique.

Habitat: intérieur des forêts, sous-bois, régions marécageuses à couvert, feuilles.

Description: mesure 17,8 cm (7 po.). Corps d'un brun roux plus prononcé que chez l'ensemble des autres Pinsons. Queue d'un brun roux intense, poitrine blanche, parsemée d'abondantes petites taches rouilles. Se distingue des autres Pinsons par sa grande taille et son coloris plus vif.

Bien que la plupart de ces oiseaux prennent la direction des régions boisées des États du sud-est à l'arrivée de la saison froide, un nombre croissant d'entre eux demeurent dans les limites nordiques de leur aire de dispersion et comptent davantage sur les mangeoires pour s'alimenter. Se nourrissant de façon prédominante au sol, ils se servent de leurs pattes démesurément grandes pour gratter le sol à la recherche de quelque chose à manger parmi les feuilles mortes. Après une chute de neige, les Pinsons fauves vont gratter ainsi jusqu'à ce qu'ils aient dégagé la terre où ils peuvent trouver des graines. Ils accepteront millet, aliments à picorer, suif et graines de tournesol présentés dans des mangeoires au sol. Ces oiseaux ont tendance à se montrer très farouches.

Pinson hudsonien

Zone d'hivernage: centre de l'Amérique du Nord, États du nord, pointe sud du Canada — sud de l'Ontario, Nouveau-Brunswick, Nouvelle-Écosse.

Habitat: sous-bois, lisières des forêts, champs de mauvaises herbes à nu, broussailles des marécages.

Description: mesure 15,2 cm (6 po.). Reconnaissable à une tache foncée unique se détachant sur le fond pâle de la poitrine. Calotte brun roux sur la tête. Mandibule supérieure gris foncé, mandibule inférieure jaune.

Le Pinson hudsonien peut affronter les températures basses beaucoup plus facilement que les autres Pinsons. À l'instar des Juncos, ces oiseaux se montreront en petits groupes dès l'apparition des premiers froids. Contrairement aux Pinsons fauves, ils manifestent autant de disposition pour manger sur un perchoir que pour se nourrir au sol. Leur régime se compose principalement de petites graines. Substituez-y du millet, du tournesol, du chanvre, du sarrasin ou du blé lorsque la neige rend les plantes sauvages inaccessibles. Le Pinson hudsonien est également à même de consommer le suif dont sont enduites les mangeoires en forme de bûche suspendue. Vous le reconnaîtrez sans erreur possible à son bec bicolore et à la tache qu'il porte sur la poitrine.

Tohi aux yeux rouges

Zone d'hivernage: Race de l'Est: sud de Cape Cod jusqu'à la Floride, lac Érié jusqu'à la Louisiane. *Race de l'Ouest:* Régions côtières du sud de la Colombie Britannique jusqu'aux États-Unis.

Habitat: sous-bois, sol des forêts, lisières des forêts.

Description: mesure 20,3 cm (8 po.). *Mâle:* tête, gorge, dos, ailes, queue noirs. Ventre blanc et rouille. Marques blanches sur les extrémités de la queue et des ailes. *Femelle:* brun foncé aux endroits où le mâle est noir. La race de l'Ouest a davantage de petites taches blanches sur les ailes.

Le Tohi aux yeux rouges

Cet oiseau est facilement reconnaissable à son comportement dans les régions boisées où il fouille sans cesse parmi les feuilles des fourrés et des sous-bois. Comme la forme de ses pattes est bien adaptée à cette fonction, il préfère, pour se nourrir, aller à la découverte de graines cachées à même le sol. Les Tohis sont des oiseaux farouches que le danger fera fuir dans les bois. Leur régime alimentaire se compose principalement de graines, de plantes sauvages, mais dans les mangeoires, ils prendront des graines de tournesol, du blé, du pain, de l'avoine, des graines de melon, des graines de citrouille ou d'autres aliments faciles à picorer. Leur large queue en éventail les aide à garder l'équilibre tandis qu'ils se nourrissent.

Gélinottes

Gélinotte huppée

Zone d'hivernage: sud du Labrador jusqu'à l'Alabama, Grands Lacs jusqu'à la baie de James, régions nordiques du Manitoba et de la Saskatchewan, Alaska, Yukon, Colombie Britannique. Récemment introduite à Terre-Neuve.

Habitat: sol de sous-bois, lisières des forêts, champs en friche, forêts mixtes de conifères et de feuillus.

Description: longueur 48,2 cm (19 po.). Grand oiseau du genre volaille, à tête petite surmontée d'une huppe, au corps dodu, à la queue en éventail pendant le vol. Tête, ailes et corps tachetés de gris, queue rouille bordée d'une grande bande terminale noire, elle-même liserée d'une mince bande blanche. Pendant la phase grise, le corps ne porte aucune trace de roux.

Les Gélinottes sont des oiseaux très farouches, cela à juste titre puisque tant d'entre elles se font tuer durant la saison de la chasse, à l'automne. Inutile de songer à nourrir la Gélinotte huppée à proximité de maisons habitées : cela ne marchera pas. Si vous voulez alimenter cet oiseau, il vous faudra aller déposer du sarrasin, du maïs concassé, du blé, de l'orge ou d'autres céréales en bordure de forêts isolées ou de clôtures protégées par des broussailles près d'un boisé. N'essayez pas de nourrir les Gélinottes huppées durant la saison de la chasse : vous risqueriez de les entraîner vers une mort inutile.

NOURRIR LES OISEAUX EN HIVER

Geais et Corneilles

Corneille d'Amérique

Zone d'hivernage: limitée aux extrémités sud du Canada et à la plus grande partie des États-Unis.

Habitat: terrains de fermes, champs, bois, dépotoirs, bordures des routes, rivages.

Description: mesure 50,8 cm (20 po.). Corps d'un noir intense, grand bec, extrémités des ailes découpées inégalement pendant le vol.

Si épaisse est la neige, si intense, le froid, que les corneilles n'ont d'autre parti à prendre, dans leur recherche de nourriture, que celui de l'audace et s'aventurent très près des maisons des villages.

H. Thoreau, *Walden*

La Corneille d'Amérique

Les Corneilles se comportent sensiblement de la même façon aujourd'hui qu'à l'époque où *Walden* fut écrit. Quand les fortes neiges hivernales auront raréfié les sources d'approvisionnement naturel, elles viendront sans bruit envahir les aires d'alimentation au petit matin. S'il y a le moindre indice d'activité humaine, elles se réfugieront sur les arbres, dans l'attente d'un moment plus propice. Elles ne toléreront notre présence que dans certains types d'environnement urbain (tels les parcs, les terminus de bateaux-passeurs, les dépotoirs). Ce sont des oiseaux extrêmement rusés et intelligents qui ont acquis une grande souplesse dans leur comportement. C'est pratiquement à cette souplesse qu'ils doivent d'avoir survécu même aux plus terribles fléaux. Parmi leurs tactiques, signalons les razzias qu'ils font sur les tables de pique-nique et leurs habitudes nécrophages s'exerçant sur les corps de bêtes tuées le long des routes et des autoroutes. Il m'est arrivé une fois de devoir en chasser une de l'arrière de mon camion après qu'elle y eut découvert un sac de nourriture pour chien laissé sans surveillance.

Les Corneilles ne feront d'ordinaire aucun cas des mangeoires par temps doux à moins qu'on ne mette à leur disposition quantité de restes de table ou un aliment à teneur protéique. Le plus souvent, elles iront chercher dans les dépotoirs la plupart des gourmandises convenant à leur menu varié.

Avec le changement de temps, vous pourriez avoir envie de déposer un peu de nourriture pour chien, du pain ou des restes dans un endroit isolé (lisière de forêt) afin de faciliter un peu la tâche à ces noirs maraudeurs pleins de ressources.

Pie bavarde

Zone d'hivernage: moitié occidentale de l'Amérique du Nord.

Habitat: basses collines, régions où pousse de l'armoise, terrains secs plantés de conifères près des rivières, lacs.

Description: mesure 50,8 cm (20 po.). Corps noir et vert chatoyant, marqué d'une grande plage blanche sur l'aile, ventre blanc. Le vert est plus apparent sur les ailes et la longue queue. Bec noir proéminent.

La Pie bavarde

Il est facile d'identifier cet oiseau à première vue grâce au dessin net des grandes surfaces noires et blanches de son corps dont le frais chatoiement vert apparaît clairement à la lumière du soleil. Son comportement paresseux et son cri rauque sont typiques à la plupart des membres de la famille. Avec l'ingéniosité de la Corneille, il se fait nécrophage à la moindre occasion.

Les Pies bavardes peuvent devenir très familières. Elles mangent pratiquement n'importe quoi.

Geai bleu

Zone d'hivernage: présence durant toute l'année dans la plupart des régions peuplées de l'Amérique du Nord à l'est des Rocheuses.

Habitat: régions boisées mixtes où poussent à la fois conifères et feuillus, chênes, jardins.

Description: mesure 30,5 cm (12 po.). Oiseau à huppe d'un ton vif de bleu cobalt, au dessous gris blanchâtre, qui porte au cou une bande noire en forme de collier, de petites taches noires et blanches sur les plumes de l'aile, de petites taches noires sur la queue et qui a le bout des plumes de la queue blanc.

Le Geai bleu

Bien que les Geais bleus émigrent au sud à l'automne, beaucoup s'attardent, comptant sur les mangeoires des jardins pour les aider à affronter l'hiver. Ils seront à coup sûr vos hôtes les plus bruyants avec leur cri retentissant: « Djé, djé! ». Les Geais bleus s'entendent très bien à intimider d'autres oiseaux: ils s'approprieront une mangeoire jusqu'à ce qu'ils soient rassasiés. Si votre terrain comporte des chênes, vous connaissez probablement déjà cet oiseau. Les glands de chêne constituent son aliment préféré. Le Geai bleu mangera pratiquement n'importe quoi, mais il préfère le maïs, les cœurs d'arachide, les arachides entières et les graines de tournesol.

Ces oiseaux se présentent aux mangeoires en petit nombre; ils n'y restent pas longtemps, disparaissant ensuite pendant de longues périodes, sans doute pour aller à la recherche d'aliments naturels d'une autre source. Une fois qu'ils connaissent l'emplacement de vos mangeoires, ils y reviennent inévitablement.

Geai gris (Geai du Canada)

Zone d'hivernage: nord des États de la Nouvelle-Angleterre, la plus grande partie du Canada à l'est des Rocheuses.

Habitat: forêts du nord, forêts de conifères, chantiers forestiers.

Description: Dos et queue gris ardoisé, tache noire à l'arrière de la tête, front et gorge blancs se changeant en gris dans la région abdominale, moustaches blanches.

Ces oiseaux habitent les forêts boréales ou les forêts du Bouclier Canadien. Il est fréquent d'en voir à proximité des camps de bûcherons, des parcs provinciaux du nord et des lieux de villégiature. S'accommodant de presque tous les aliments normalement consommés par des humains, ils peuvent faire montre d'une assez grande audace en votre présence. On les attire avec de petites quantités de restes de table. Si vous laissez de la nourriture sans surveillance dehors, ces discrets opportunistes le considéreront comme une invitation directe.

Geai de Steller

Zones d'hivernage: régions côtières et montagneuses du nord-ouest.

Habitat: régions forestières de la côte du Pacifique, sapins, pruches, thuyas.

Description: semblable au Geai bleu si ce n'est de la tête et des épaules couleur charbon de bois se fondant avec le coloris du corps et de la queue, d'un bleu profond. La tête est surmontée d'une huppe noire.

Le Geai de Steller est l'un des oiseaux les plus colorés des forêts occidentales. Il ressemble par son comportement au Geai bleu bien qu'il ne soit pas tout à fait aussi bruyant. Se présentant aux mangeoires après de fortes chutes de neige, il y restera tout juste le temps de prendre sa part. Trait caractéristique des Geais lorsqu'ils sont nouvellement venus sur une aire d'alimentation, les oiseaux de cette espèce iront se tapir sans bruit dans les arbres avoisinants pour ne les quitter qu'après examen minutieux de la scène qui se déroule à proximité. Ils mangeront presque tout ce que vous leur offrirez, mais leurs aliments préférés sont les graines de tournesol, le maïs et le pain.

Roitelets

Roitelet à couronne dorée

Zone d'hivernage: Terre-Neuve, le Nouveau-Brunswick, la Nouvelle-Écosse, les Grands Lacs, la plus grande partie de la côte ouest des États-Unis.

Habitat: ombrage des forêts de conifères, pruches, sapins, pins, épinettes.

Description: mesure 10,1 cm (4 po.). Corps gris olivâtre, marques noires et blanches sur les ailes, petit bec. *Mâle:* la tête présente une calotte rouge à bordure jaune soulignée d'un liseré noir, l'œil est traversé d'un bandeau noir. *Femelle:* semblable au mâle sauf pour la culotte, jaune, et non rouge.

Le Roitelet à couronne dorée est un oiseau petit, indépendant, qui fait rarement de longs arrêts aux mangeoires. Il excelle à dénicher les petits insectes comestibles susceptibles de se trouver sur les conifères. Ses mouvements sont prompts et irréguliers, et ses ailes, agitées d'un tremblotement constant. Il mange du suif présenté sur des bûches.

Roitelet à couronne rubis

Zone d'hivernage: régions au sud des Grands Lacs, côte est de la Nouvelle-Angleterre jusqu'en Floride, côte du Pacifique à l'ouest des Rocheuses. En hiver émigre plus au sud que le Roitelet à couronne dorée.

Description: mesure 10 cm (4 po.). Corps gris olivâtre, marques noires et blanches sur l'aile. *Mâle:* tache rouge sur la tête. *Femelle:* pas de tache sur la tête.

Le Roitelet à couronne rubis

Le Roitelet à couronne rubis manifeste plus de propension à venir aux mangeoires, en particulier dans les climats tempérés, que le Roitelet à couronne dorée dont il n'a pas tout à fait l'intrépidité. Il y mangera du suif et de petites graines. Sous les latitudes nordiques, on le voit couramment pendant les mois d'été.

NOURRIR LES OISEAUX EN HIVER

Sittelles

Sittelle à poitrine blanche

Zone d'hivernage: États du nord-est et du nord-ouest, côtes méridionale et occidentale du Canada.

Habitat: troncs des arbres, terrains recouverts de forêts, bosquets, jardins plantés d'arbres.

Description: mesure 12,7 cm (5 po.). Toutes les Sittelles ont un corps dodu, une queue courte, tronquée, un bec long, fuselé. Teinte pâle de gris-bleu, dessous blanc. *Mâle:* tête noire et demi-collier noir sur la nuque. *Femelle:* collier noir sur la nuque, calotte gris-bleu.

La Sittelle à poitrine blanche

Pour explorer l'écorce des arbres, les Sittelles ont recours à un procédé qui leur est caractéristique : commençant en haut du tronc, elles le descendent la tête la première. Elles ont un bec dur, du genre de celui des Pics, bien propre à picorer les insectes et les larves. Leur cri nasillard, dont le son nous est familier, annonce leur venue à nos mangeoires. Grimpeurs professionnels, ces oiseaux peuvent accéder sans peine à n'importe quel type de mangeoires où ils se nourriront de préférence du suif et de graines de tournesol. On leur fournira une occasion plus naturelle de s'alimenter si l'on enduit de suif l'écorce rugueuse des arbres. Il est aussi courant de voir la Sittelle à poitrine blanche aux mangeoires que la Mésange à tête noire, cela tant dans l'est que dans l'ouest.

Sittelle à poitrine rousse

Zone d'hivernage: se tient plus au nord que la Sittelle à poitrine blanche et émigre en plus grand nombre qu'elle certaines années. Régions du Bouclier Canadien jusqu'aux États du sud. Côte ouest.

Habitat: forêts de conifères, forêts mixtes.

La Sittelle à poitrine rousse n'est pas aussi commune que la Sittelle à poitrine blanche. Leur comportement et leur régime alimentaire sont à peu près semblables.

Pigeons et Tourterelles

Tourterelle triste

Zone d'hivernage: Grands Lacs, extrémité sud du Canada, la plus grande partie des États-Unis.

Habitat: Bord des routes, terrains de fermes, terrains à découvert, régions de broussailles.

Description: oiseau d'un gris chaud à la queue en pointe, tons plus riches sur la poitrine, le dos et le ventre, extrémités des plumes de la queue blanches.

Le cri de la Tourterelle triste est aussi désespéré et mystérieux que son nom le donne à penser. Ce sont avant tout des oiseaux qui se nourrissent au sol; leur régime alimentaire se compose de graines, de plantes céréalières, d'insectes et de baies. Comme les Tourterelles tristes sont principalement végétariennes, il faut inclure une certaine quantité de cailloux dans leur alimentation. On les voit souvent le long des routes de gravier bordant des champs de maïs et d'autres cultures céréalières. Aux mangeoires, elles se nourriront de grandes quantités de céréales (maïs, blé, sarrasin, millet). La faculté d'adaptation de cette Tourterelle a des chances de lui épargner le sort de son parent disparu, la Tourte (*Ectopistes migratorius*). Sa dispersion s'accroît d'année en année vers le nord.

Pigeon à queue rayée

Zone d'hivernage: régions tempérées de la côte du Pacifique.

Habitat: arbres porteurs de baies, régions de broussailles, bord des routes, champs, fermes.

Description: mesure 30,5 cm (12 po.). Forme typique du pigeon, poitrine et tête brunes, légère irisation sur la nuque, ailes plus foncées, bande foncée sur la queue en forme d'éventail.

Le Pigeon à queue rayée est un représentant de grande taille de la famille des Colombidés. On l'entend souvent s'agiter avec fracas dans les arbres où il se nourrit de baies. Plus craintif que la Tourterelle triste des régions plus à l'est, il n'en fera pas moins son apparition aux mangeoires, surtout après une chute de neige, pour manger son content de céréales et de graines. Le climat modéré en hiver de la côte ouest rend sa quête de nourriture beaucoup plus facile que dans l'est. Ces oiseaux recherchent les buissons de houx, l'arbousier et le chêne de Garry pour leurs fruits.

**Colins,
Faisans**

Colin de Virginie

(Colin à gorge blanche)

Zone d'hivernage: États du sud —
limites nordiques : Cape Cod, lac
Érié, Minnesota.

Habitat: lisières des bois, terrains de
fermes, broussailles, bords des routes.

Description: oiseau tacheté de brun,
rondelet de taille, du genre volaille,
à la queue courte — disposée en
éventail pendant le vol. Dessous plus
clair, tache foncée autour de l'œil,
gorge pâle.

Si d'autres oiseaux viennent à votre mangeoire, vous ne devez
pas en attendre autant du Colin de Virginie. Cependant, vous
l'entreverrez peut-être si vous essayez de laisser du maïs et
d'autres céréales dans un endroit abrité à l'écart des lieux habités.
Vous avez des chances d'en attirer quelques-uns après une chute
de neige par l'érection au niveau du sol d'une sorte d'appentis
dans les lieux appropriés offrant un abri, tels un mur de clôture
ou l'orée d'une forêt. Pour observer des oiseaux comme le Colin
de Virginie et le Faisan, l'usage des jumelles peut se révéler utile.

NOURRIR LES OISEAUX EN HIVER

Faisan à collier

Zone d'hivernage: régions plus tempérées de la côte est allant jusqu'à des points aussi nordiques que la Nouvelle-Écosse, Grands Lacs, Prairies. Introduit dans les régions peuplées de la côte ouest.

Habitat: terrains de fermes, buissons, champs, broussailles, murs de clôture.

Description: mesure 83,8 cm (33 po.). Longue queue en balai, petite tête, corps rondelet, cou allongé. *Mâle:* tête multicolore, caroncules rouges, cou iridescent orné d'une bande blanche. *Femelle:* corps tacheté de beige et de brun.

Le Faisan à collier

De nombreux Faisans meurent au nom du sport pendant la saison automnale de la chasse. On les considère comme l'un des gibiers à plume les plus fins, et on en fait l'élevage domestique sur certaines fermes.

Loin de la civilisation, les Faisans sont devenus des oiseaux extrêmement prudents. Il y a peu de chances qu'ils se montrent à proximité de lieux habités. Quand vous voulez en nourrir, attirez-les vers des endroits où la chasse est limitée. Ils mangent du maïs à même l'épi, du blé, de l'avoine, de l'orge ou des pommes présentés sur le sol, pour peu qu'on ait disposé ces aliments le long de murs de clôture ou au fond des cours qui bordent les fermes et les champs.

Colin de Californie

Zone d'hivernage: sud-ouest de la Colombie Britannique.

Habitat: sous-bois, bord des routes, lisière des forêts.

Description: oiseau replet chez qui prédomine le brun, à la queue courte, à la tête petite et qui porte sur la tête une huppe ayant la forme d'une larme. *Mâle:* bande blanche sur la gorge noire, poitrine grise. *Femelle:* plus pâle.

Il est fréquent de voir des Colins de Californie marcher à la queue leu leu sur les routes de campagne, la femelle conduisant souvent les petits.

Pendant les mois d'hiver, lorsque le sol est couvert de neige, ces oiseaux se montreront quelquefois aux aires d'alimentation situées en milieu rural. Le Colin mangera des baies, des glands de chêne, des graines de tournesol, du blé, du maïs et du millet. Il serait préférable de déposer la nourriture sur le sol dans un endroit abrité.

NOURRIR LES OISEAUX EN HIVER

Grives

Merle d'Amérique

Zone d'hivernage: est américain allant jusqu'à des points aussi nordiques que les basses régions des Grands Lacs, présence au nord en voie d'accroissement.

Habitat: grandes et petites villes, terrains gazonnés, terrains de fermes, régions boisées, vergers de cerisiers.

Description: mesure 25,4 cm (10 po.). Poitrine rousse, ailes, dos, tête, queue d'un gris foncé qui cède la place au blanc dans la région abdominale. *Femelle:* coloris plus pâle.

La dispersion hivernale du Merle, jadis regardé comme le premier signe du printemps, ne cesse de reculer ses limites vers le nord. Les Merles rendent souvent visite à nos jardins, non pas tant pour y faire usage des mangeoires que pour y chercher les vers de terre de nos pelouses et les cerises de nos vergers. Par temps extrêmement mauvais, il arrive aux Merles, qui passent tout l'hiver dans les régions les plus nordiques de leur aire de distribution géographique, de venir prendre de la nourriture dans les mangeoires; mais en d'autres temps, ils sont très indépendants.

Grive à collier

Zone d'hivernage: ouest et nord-est du Canada, États du nord, accidentellement de l'ouest.

Habitat: régions boisées, terrains gazonnés, arbustes, lisières des bois.

Description: coloris semblable à celui du Merle d'Amérique — mais la poitrine est d'un jaune orange plus clair et porte une bande noire. Un sourcil de couleur marron pâle peut également être présent.

La Grive à collier

On désigne souvent cet oiseau sous le nom de « Merle d'hiver ». Par temps doux, on le voit rarement aux mangeoires; mais sitôt que le sol se couvre de blanc, la Grive à collier quitte son abri pour venir dans des endroits plus peuplés chercher de la nourriture. Un nombre de plus en plus grand de ces oiseaux, rapporte-t-on, sont aperçus aux mangeoires de l'est du continent. Les Grives à collier mangeront raisins secs, groseilles, baies et pommes.

Mésange à tête noire

Zone d'hivernage: moitié sud du Canada, moitié nord des États-Unis à l'est des Rocheuses.

Habitat: forêts de feuillus et de conifères, arbustes, sous-bois, jardins.

Description: mesure 12,7 cm (5 po.). Corps petit, queue proportionnellement plus longue, bavette et calotte noires, joues blanches, dos, ailes, queue gris.

La Mésange à tête noire

Les Mésanges sont des oiseaux très confiants, animés de sentiments bienveillants: elles viendront sans peine manger des graines de tournesol dans votre main. Le « fi-bi » de leur cri fait souvent penser à un remerciement. Prenant une graine de tournesol à la fois, elles reviendront autant de fois qu'il le faudra chercher leur aliment favori et choisiront les meilleures graines en premier, car elles sont sélectives. Si les Mésanges passent de longs moments à faire un tel tri, cela peut vouloir dire que les graines offertes par vous sont de piètre qualité. Le gras animal les attirera aussi. Pour leur permettre de se livrer à leurs acrobaties, variez les modes d'alimentation: suspendez des bûches enduites de suif ou de gras animal et des arachides.

Mésange à dos marron

Zone d'hivernage: ouest du Canada, États du nord-ouest à l'ouest des Rocheuses.

Habitat: forêts mixtes des régions montagneuses et côtières.

Description: semblable à la Mésange à tête noire, si ce n'est qu'elle a du brun sur le dos et le reste du corps. Cet oiseau est pour l'ouest l'équivalent sympathique de la Mésange à tête noire.

Mésange huppée d'Amérique

Zone d'hivernage: pointe sud du Canada, lac Érié, moitié est des États-Unis.

Habitat: régions boisées, bosquets, jardins.

Description: mesure 14 cm (5½ po.). Oiseau de taille modeste, au petit bec noir, à la huppe grise, à la poitrine claire — d'un coloris plus intense près de la queue, et qui a une petite tache blanche sur le contour de l'œil.

La Mésange huppée d'Amérique

La Mésange huppée d'Amérique se nourrit de la même façon que la Mésange à tête noire: elle prend une graine de tournesol à la fois, l'emporte sur une branche où elle ouvre la coque en la frappant pour dégager le fruit, puis retourne en chercher une autre. Au besoin, elle est aussi capable que les autres Mésanges de se suspendre la tête en bas pour arriver à se saisir de suif ou de tout autre aliment difficile d'accès.

Grâce à la vogue accrue de l'alimentation des oiseaux en hiver, la répartition au nord de cette espèce pendant la saison froide s'étend à une aire plus vaste.

Oiseaux aquatiques

Canard malard

Zone d'hivernage: sud des Grands Lacs et la plus grande partie des États-Unis.

Habitat: marais, pièces d'eau, lacs, rivières et fermes.

Description: tête vert chatoyant, bec jaune, collier blanc, poitrine d'un riche coloris de brun, queue noire et blanche, ailes et corps gris passant à une nuance plus claire, miroir bleu chatoyant sur les ailes. *Femelle:* corps tacheté de brun-gris, même bleu sur les ailes que chez le mâle.

Le Canard malard

Les Canards malards sont à l'origine des Canards domestiques communs qui vivent toute l'année sur les étangs de fermes. Durant l'hiver, les Canards domestiques doivent être abrités, abreuvés et nourris régulièrement, tâche qui devient quotidienne avec les Canards malards sauvages. Une alimentation quotidienne régulière empêchera ces derniers de s'envoler vers le sud. Il est essentiel d'avoir une source d'eau à proximité si l'étang ou le lac a tendance à geler. Si vous ne disposez pas des commodités voulues, il vaut sans doute mieux ne pas encourager les Canards malards à rester dans les parages.

Comme ces oiseaux consomment de fortes quantités de plantes céréalières, il faut mettre du gravier dans leur nourriture afin de leur en faciliter la digestion. Les aliments recommandés comprennent du blé, du maïs, de l'orge, de l'avoine, du millet et des grains à picorer.

Canard noir

Zone d'hivernage: Nouveau-Brunswick, Nouvelle-Écosse, sud de l'Ontario, nord-est des États-Unis, Grands Lacs, du Minnesota à la Floride. Limites nordiques en recul.

Habitat: marais, lacs, rivières, étangs, Grands Lacs.

Description: Mâle: corps noir charbon de bois, tête plus pâle, miroir bleu sur les ailes, bec jaune sale. *Femelle:* brun plus clair, corps moucheté, miroir bleu violacé sur les ailes, tête plus pâle. Les deux sexes portent des taches blanches sur le dessous des ailes, visibles en vol.

Le Canard Noir

Le régime alimentaire du Canard noir est semblable à celui du Canard malard. L'un et l'autre s'alimentent de préférence dans l'eau où ils se tiennent sens dessus dessous, la tête immergée, laissant leur queue et leur corps s'agiter à la surface.

Pour nourrir ces canards, mettez divers grains de céréales dans une eau peu profonde dont ils puissent atteindre le fond avec leur bec.

Bernache du Canada

Zone d'hivernage: littoral de l'est, Grands Lacs, sud du centre des États-Unis, Mexique.

Habitat: lacs, bords de mer, champs de céréales, étangs.

Description: mesure 101,5 cm (40 po.). Cou et tête noirs, bande blanche sous le menton. Poitrine gris clair, ailes d'une nuance plus foncée de gris tirant sur le brun, plumes de la queue blanches et noires.

La Bernache du Canada

Pour nourrir les Bernaches du Canada, il faut leur apporter des aliments aux endroits où elles reçoivent un approvisionnement régulier, tels les moulins et les parcs publics en bordure des lacs. La majorité de ces oiseaux émigrent au sud des Grands Lacs en automne dans une zone pouvant aller jusqu'au Mexique.

Grâce à l'alimentation régulière qui leur est offerte dans les refuges pour oiseaux, les étangs de fermes et les parcs urbains, un grand nombre d'entre elles passent l'hiver aux extrémités sud de l'Ontario et des Grands Lacs. Les Bernaches du Canada mangent du blé, du maïs, de l'orge, de l'avoine.

Jaseurs

Jaseur des cèdres

Zone d'hivernage: parcourt de grandes distances dans la plupart des régions au sud du 49e parallèle, des Grands Lacs à Panama.

Habitat: forêts de conifères, arbres porteurs de baies et arbustes.

Description: corps et ailes lisses, d'un coloris gris, élégante huppe grise, bec et contours de l'œil noirs, bout des ailes rouge, bande jaune à l'extrémité de la queue.

Le Jaseur des cèdres

Si des Jaseurs viennent dans votre cour, ce sera très probablement pour les arbustes porteurs de baies qui s'y trouvent plutôt que pour la nourriture de vos mangeoires. La plupart d'entre eux ne feront qu'une brève apparition aux postes d'alimentation, mais lorsque les conditions hivernales sont difficiles, ils y mangeront des raisins secs, des groseilles ou des pommes.

NOURRIR LES OISEAUX EN HIVER

Pics

Pic mineur

Zone d'hivernage: Alaska, Canada jusqu'au sud des États-Unis, Terre-Neuve jusqu'à la Floride.

Habitat: régions boisées, jardins plantés d'arbres, « terres à bois ».

Description: mesure de 15 à 18 cm (6 à 7 po.). Dessous et dos blancs, ailes noires et blanches, marques bien définies. *Mâle:* tache rouge à l'arrière de la tête.

Le Pic mineur

Voir des Pics mineurs est chose courante dans la plupart des régions boisées où ils cherchent leur nourriture tout en haut des troncs d'arbres. Insectes et larves d'insectes sont leurs aliments naturels, auxquels on peut facilement substituer dans nos mangeoires du gras animal, seul ou mélangé avec des graines. Les Pics mineurs sont des oiseaux énergiques, capables de devenir assez confiants, à qui il arrive de venir manger dans notre main. Présentez-leur du suif sur des bûches et sur l'écorce des arbres: cela leur conviendra. Ils mangeront aussi des graines de tournesol et de la semoule de maïs.

Pic chevelu

Zone d'hivernage: la même que pour le Pic mineur.

Habitat: régions boisées, bosquets, « terres à bois », coins plantés d'arbres des jardins.

Description: mesure 22,8 cm (9 po.). Marques presque identiques à celles du Pic mineur, mais bec plus gros et plus développé.

Un peu moins confiant que le Pic mineur, le Pic chevelu n'en est pas moins un hôte régulier des mangeoires conçues pour la présentation de suif et de celles qui contiennent des graines de tournesol et du maïs. Le Pic chevelu peut produire un bruit sonore, comme un martèlement, lorsqu'il est à la poursuite d'insectes dans l'écorce d'arbres infestés. Ce laborieux martèlement, il l'interrompt périodiquement pour redresser la tête afin de voir avec plus de précision ce qu'il est en train de faire.

NOURRIR LES OISEAUX EN HIVER

Pic flamboyant

(Pic doré, Pic rosé)

Zone d'hivernage: Pic doré: parties sud des Grands Lacs, moitié est des États-Unis. *Pic rosé:* régions de la côte ouest de l'Amérique du Nord.

Habitat: « terres à bois », fermes où poussent des cultures mixtes, jardins, vergers.

Description: Pic doré: Le dessous jaune de cet oiseau apparaît en vol. Poitrine tachetée, bout des plumes de la queue noir, ailes mouchetées de noir et de brun, tache rouge à l'arrière de la tête, bande noire nettement dessinée sur la partie supérieure de la poitrine. Bec bien developpé. Le mâle porte une tache noire analogue à une moustache. *Pic rosé:* semblable au Pic doré si ce n'est que le jaune du dessous et le noir de la moustache du mâle cèdent la place au rouge. Par ailleurs, il n'y a pas de tache rouge en arrière de la tête.

Le Pic rosé est une race du Pic flamboyant que l'on trouve à l'ouest, tandis que le Pic doré tend à se tenir principalement dans l'est. On les voit couramment dans les zones d'arbres morts. Leur long bec leur permet d'explorer le sol à la recherche de fourmis et d'autres insectes. En hiver, ces Pics fréquenteront les mangeoires garnies de suif, mais en général, ils n'y viendront pas souvent.

Grand Pic

Zone d'hivernage: baie de James jusqu'à la Floride, moitié est de l'Amérique du Nord, régions de la côte ouest.

Habitat: forêts de conifères et de feuillus.

Description: mesure 48,2 cm (19 po.). Pic noir de grande taille, blanc sur le dessous des ailes, porte une bande blanche qui dessine une ligne partant du bec et passant par le cou pour aller jusqu'au dessous de l'aile, a la tête surmontée d'une huppe rouge vif.

Le Grand Pic

Les Grands Pics viendront quelquefois se nourrir aux mangeoires, mais ils se méfient beaucoup de l'homme. Dans les régions forestières de la côte ouest, les chances qu'ils s'y montrent sont encore plus minces, les conditions hivernales étant plus modérées et l'approvisionnement en nourriture, plus abondant. Quand par hasard ils font leur apparition, ils élisent plus naturellement domicile sur des troncs d'arbres que l'on peut enduire de suif à leur intention.

Troglodytes

Troglodyte des forêts

Zone d'hivernage: États du sud-est jusqu'à des points aussi nordiques que les régions basses des Grands Lacs et Cape Cod.

Habitat: régions boisées, sous-bois, cordées de bois.

Description: mesure 10,1 cm (4 po.). Oiseau petit, replet, dont la queue minuscule est relevée vers le haut et qui a la gorge et la poitrine plus claires que le reste du corps, d'une riche teinte de brun.

Le Troglodyte des forêts

Le Troglodyte des forêts se nourrit à proximité du sol dans les sous-bois et les bosquets d'arbustes touffus. On le voit rarement aux mangeoires, car c'est un oiseau extrêmement farouche. Il préfère rester caché parmi des cordées de bois et des tas de branches mortes. Le seul Troglodyte qui ait habité ma cordée de bois fut mangé par un chat.

NOURRIR LES OISEAUX EN HIVER

Oiseaux des villes

Il n'est que trop facile de passer sous silence certains des oiseaux les plus répandus de nos grandes et de nos petites villes. Comme on voit généralement en eux un élément du paysage urbain, ou du moins qu'on les tolère à ce titre, ils peuvent passer inaperçus à force de nous être trop familiers.

Ce groupe d'oiseaux opportunistes sont parvenus à survivre en dépit des composantes artificielles et des transformations perpétuelles de nos villes. Plutôt que de fuir la puanteur, le bruit et le chaos, ils sont restés avec nous, tirant profit de notre charité et de notre gaspillage pour atténuer l'effet de nos atteintes à leur environnement.

Pigeons (Espèces sauvages et domestiques)

Aires de dispersion en toute saison: domestiqués dans le monde entier, se rencontrent dans toutes les régions peuplées de l'Amérique du Nord.

Habitat: maisons, ponts, fermes, parcs, grandes et petites villes.

Description: mesurent 33 cm (13 po.).

Coloris originel: ton rafraîchissant de gris marqué d'irisation dans la région du cou. Bandes noires sur le dessus des ailes, queue en éventail. Par suite de l'hybridation, on trouve chez eux des coloris divers : brun, blanc, noir et multicolore.

Le Pigeon (espèce sauvage)

Les squares des villes, les terminus d'autobus et les parcs sont des lieux où aiment se nourrir les Pigeons. Les groupes de personnes inoccupées dans l'attente d'un train ou prenant leur repas dans un parc formeront d'ordinaire le public devant qui défileront ces volatiles amateurs de pain.

En dépit du fait que les grandes villes offrent à ces oiseaux des sources d'alimentation générales et régulières, elles les soumettent aussi à maints périls. La présence d'immeubles de plus en plus hauts a engendré des poches d'air venteux. Par ailleurs, lorsqu'il n'y a pas de vent, ces immeubles remplissent le rôle de barrières retenant les gaz d'échappement de la circulation à des taux de concentration élevés. Les toits — perchoirs favoris des Pigeons — sont un labyrinthe de câbles métalliques et d'antennes de télévision.

Un jour où je travaillais au troisième étage d'une usine, j'ai aperçu un Pigeon qui battait des ailes tandis qu'il se laissait lentement glisser le long du toit d'un bâtiment adjacent. Un regard plus attentif me révéla qu'il lui manquait une patte. Après avoir atteint la gouttière, l'oiseau se mit en vol, puis fit le tour du bâtiment à plusieurs reprises avant de tenter un autre atterrissage. De nouveau, il se laissa glisser sur le ventre le long du toit d'ardoise, s'aidant de ses ailes pour freiner. Lorsqu'il atteignit la gouttière cette fois, il fut capable d'arrêter et de se tenir sur son unique jambe.

Cet oiseau a-t-il survécu à son amputation, est-il parvenu à affronter la concurrence des autres dans la quête de nourriture, je l'ignore. Je me suis seulement demandé si la perte de sa patte avait pour cause la présence d'un amas de fils sur le toit. Combien de ses semblables subissent-ils le même sort alors qu'ils volettent de toit en toit dans le brouillard et la neige?

Le pain semble être l'unique élément d'importance du régime alimentaire des Pigeons. Ils en trouvent une réserve inépuisable à leur disposition tous les jours dans les parcs et les squares de nos grandes villes. En Amérique du Nord, la nourriture au rebut se présente sous de nombreuses formes: frites, hot-dogs, petits pains à hamburgers, cornets de crème glacée et contenus de sacs à *lunch*. Ce sont là quelques-uns des aliments dont ils peuvent disposer.

Ils viennent régulièrement rôder en bandes près des casse-croûte autour desquels ils arrivent à ramasser toute une gamme de mets choisis. La quantité de nourriture jetée aux environs de tels endroits est étonnante. Du fait que ces restaurants ont habituellement de longues heures d'ouverture, je suis sûr que le menu des Pigeons varie selon qu'il est l'heure du petit déjeuner, du lunch ou du souper.

Les Pigeons ne rendent pas souvent visite aux mangeoires, mais quand ils le font, ils choisissent les aliments nourrissants du genre maïs, blé, millet et riz.

Moineau domestique

Aire de dispersion en toute saison: dans le monde entier, presque partout en Amérique du Nord.

Habitat: grandes villes, fermes, champs, jardins, granges.

Description: mesure 15,2 cm (6 po.). Ailes et queue marron, poitrine d'une nuance plus claire. *Mâle:* bavette noire à la gorge, tache blanche sur le côté du cou. *Femelle:* plus pâle.

On verra surtout ce petit oiseau nerveux et omniprésent prendre sa nourriture au voisinage immédiat des Pigeons. Introduit en Amérique du Nord (à Brooklyn) en 1850, le Moineau domestique n'a cessé de s'y multiplier.

Cette espèce réussit à entretenir de très bonnes relations avec les autres oiseaux des grandes villes, car elle s'accommode le plus souvent de minuscules morceaux d'aliments laissés par eux.

Durant les mois d'hiver, les Moineaux domestiques filent à la recherche de quelque chose de comestible, se posant sur le pavé aux endroits dégagés où le sel a fait fondre la neige. La plupart des aliments présentés dans les mangeoires leur conviendront.

Les moulins, les silos à grains, les cours de fermes et les quais de déchargement attirent de grandes bandes de Moineaux domestiques: ils s'y régalent des grandes quantités de céréales tombées par terre. À certaines époques de l'année, ils suivent les foules qui se rendent aux nombreuses foires et expositions où des rangées de kiosques proposent une gamme d'aliments de premier choix.

La prochaine fois que vous irez casser la croûte à l'extérieur, regardez par terre: vous y verrez probablement les miettes du festin d'un Moineau domestique.

Goéland argenté

Aire de dispersion en toute saison: régions nordiques de l'Amérique du Nord, Grands Lacs, côtes est et ouest.

Habitat: bord des lacs, rivières, océans, baies, quais, docks, pilotis, terrains de fermes, dépotoirs.

Description: mesure 63,5 cm (25 po.). Ailes grises présentant des extrémités noires, corps, queue et tête blancs, bec jaune portant une tache rouge, pattes couleur chair.

Le Goéland argenté, que l'on connaît généralement sous le simple nom de « Goéland », fréquente des endroits divers. On peut le voir suivre des embarcations et des navires de pêche, en quête de restes de table et de gâteries en prime.

Il ne se tient pas seulement le long des côtes océaniques, des baies, des plages, des rivières et des lacs, mais parcourt aussi les régions de l'intérieur.

Au cours des labours du printemps ou de l'automne, de grandes volées suivent en piaillant les tracteurs qui font apparaître par-dessus le sol fraîchement retourné, quantité de vers de terre et de larves sur lesquels se jeter. Les Goélands argentés se plient habituellement au rythme du labour: ne se posent jamais longtemps, ils attrapent les vers nouvellement mis à nu avant qu'ils aient une chance de s'enfoncer dans le sol sombre et humide.

Les dépotoirs constituent un autre de leurs lieux de prédilection. Contrairement aux Corneilles et autres oiseaux noirs, ils ne sont pas effrayés par les machines au point de s'enfuir. Les camions et les bulldozers qui leur fournissent une nourriture fraîche en retournant le sol, n'interrompent que momentanément leurs activités. Quand le dépotoir ne sert plus ou qu'on n'y apporte pas de nouveaux détritus de façon continue, les Goélands déménagent; ils abandonnent les lieux aux Corneilles et autres nécrophages. Les Goélands ne fréquenteront pas les mangeoires, mais on peut les nourrir dans les parcs, au bord de la mer et dans les ports.

Étourneau sansonnet

Zone d'hivernage: sud du Canada et États-Unis.

Habitat: grandes villes, fermes où ils se nourrissent généralement au sol.

Description: plumage noir chatoyant, tacheté de blanc en hiver, dessous noir teinté de brun, bec jaune, queue tronquée.

L'Étourneau sansonnet

L'Étourneau sansonnet est probablement l'oiseau le plus répandu en Amérique du Nord. Il a été introduit dans ce continent au Central Park de New York où soixante individus furent libérés en 1890, quarante autres en 1891. Est-il besoin de le dire, l'opération a connu beaucoup de succès. Des populations gigantesques habitent maintenant la plus grande partie de l'Amérique du Nord. La migration de l'Étourneau sansonnet en automne est seulement partielle. De nombreux individus ne partent pas de l'hiver, se regroupant dans les régions peuplées pour se nourrir des restes laissés dans les parcs, de pain et de détritus. Oiseaux qui, fondamentalement, se nourrissent au sol, les Étourneaux sansonnets peuvent être utiles au jardinier, car leur régime alimentaire comprend quantité de larves d'insectes nuisibles.

Pendant l'hiver, l'Étourneau sansonnet présente un coloris presque noir parsemé de taches claires prononcées sur une grande partie du corps. Ces taches sont moins visibles au printemps et à l'automne, et le plumage laisse voir une irisation plus marquée.

Si tous les efforts que vous avez déployés en vue d'attirer d'autres espèces d'oiseaux à vos mangeoires ont échoué, vous pouvez toujours compter sur quelques Étourneaux sansonnets pour s'y montrer. Cependant, un succès trop grand auprès d'eux risque de vous valoir l'hostilité de vos voisins par suite du bruit que font ces oiseaux en mangeant.

Les Étourneaux sansonnets se nourrissent en grande partie des mêmes aliments que nous. Ils se régaleront de presque tout ce que vous leur donnerez.

3 La nourriture

Le petit grain de blé, le fruit de la triticale, est le plus noble aliment de l'homme. Les grains moins importants d'autres céréales nourrissent à présent les passereaux dont le régime alimentaire copie ainsi celui de l'homme.

H. Thoreau, *Walden*

Tournesol séché

Le plus simple programme d'alimentation des oiseaux ne comporte guère plus d'obligations que de jeter quelques miettes de pain rassis sur la neige. Mais quand cet ordinaire aura commencé de vous attirer des hôtes de marque parmi la gent ailée, vous aurez peut-être envie de vous lancer dans une entreprise plus ambitieuse.

À ce stade, vous pourriez proposer à vos invités un sac du mélange d'aliments pour oiseaux que l'on trouve dans les centres de jardinage, les quincailleries, quelques supermarchés et dans les magasins d'animaux. Ce mélange contient habituellement des graines de tournesol, du maïs broyé, du blé, du millet, du sarrasin et quelques céréales de moindre importance. Les proportions y varient selon la marque, mais de cette façon vous aurez une idée des préférences des oiseaux de votre secteur. Si, lors de leur passage, ils laissent intouchés la plus grande part des grains de petite dimension, il vous faudra de toute évidence augmenter la quantité de maïs broyé et de graines de tournesol. Parallèlement au mélange de céréales pour espèces sauvages, vous devriez aussi inclure au menu quelques-uns des aliments d'un autre genre dont la liste est donnée dans ce chapitre.

Parmi ces aliments, les plus universellement acceptés et appréciés sont les graines de tournesol, le maïs broyé et le suif (gras animal). Faites un effort pour essayer ces trois-là : vous satisferez alors aux goûts d'espèces très diverses. Il s'agit de produits qui, achetés en vrac, coûtent beaucoup moins cher que les mélanges pré-emballés. Pour présenter le gras animal, vous aurez peut-être besoin de fabriquer une mangeoire spéciale; il en existe des modèles faciles à construire, dont vous trouverez les schémas au chapitre 4.

Une fois déterminés les aliments qu'il vous faudra quotidiennement, vous devriez envisager de les acheter en vrac afin de vous épargner du temps et de l'argent. Graines de tournesol, maïs à grain entier ou broyé, cœurs d'arachide, millet, avoine, blé, sarrasin, orge et graines de colza sont disponibles en abondance dans les moulins (qui fournissent les fermes) et dans certains centres de jardinage.

Le suif (amas filandreux de gras de bœuf de couleur blanche) se vend au poids chez votre boucher. Gardez-le au réfrigérateur ou au congélateur. Quelques livres vous dureront un mois ou davantage, selon que vous réussissez ou non à éloigner les écureuils.

Les céréales et les graines se conservent mieux lorsqu'elles sont entreposées dans un endroit sec et frais. Gardez-les, séparées ou mélangées suivant vos désirs, dans des sacs à ordures en plastique fermés hermétiquement. Afin de les préserver intacts, à l'abri des souris, il peut se révéler nécessaire de déposer ces sacs dans une poubelle à couvercle ou en métal. Laissez une boîte de conserve en fer blanc à l'intérieur pour la distribution de rations quotidiennes.

LES CÉRÉALES ET LES GRAINES

Les graines de tournesol

Voilà la meilleure graine tout usage. Elle est nutritive (forte teneur en protéines, en gras et en hydrates de carbone), économique et constitue un aliment de choix pour presque tous les oiseaux hivernaux. Si vous disposez de l'espace voulu dans votre jardin et d'un coin ensoleillé, protégé (contre une clôture ou un mur), il est facile de cultiver des tournesols. Choisissez de préférence la variété commerciale : ses graines sont plus grosses et d'un goût plus agréable que celles de la variété ornementale. Une fois coupée et séchée au soleil, la fleur dans son entier peut servir de nourriture. Quant aux graines, gardez-en une bonne provision à portée de la main pour février et mars, alors que les bandes de Gros-becs errants voraces viendront envahir vos mangeoires. Présentez-les dans des mangeoires du type trémie, sur des tables au ras du sol, sur le rebord des fenêtres ou dispersez-les sur un espace de neige tassée où leur couleur foncée permettra de les distinguer facilement.

Vous pouvez vous y attendre, presque tous les oiseaux prendront des graines de tournesol à un moment donné. Certains d'entre eux manifestent cependant une préférence marquée pour cet aliment : les Mésanges (Mésanges à tête brune, à tête noire et à dos marron), les Cardinaux, les Gros-becs à poitrine rose, les Geais, les Juncos ardoisés, les Tourterelles tristes, l'ensemble des Pinsons, les Roselins pourprés, les Chardonnerets des pins, les Mainates, les Sittelles et les Mésanges huppées d'Amérique.

Le maïs

Parmi les oiseaux hivernaux, presque tous mangent du maïs. Présentez-le entier, broyé et moulu (semoule) pour plaire à un

Présentation du maïs séché :
épi entier, en grains, broyé, semoule.

72

maximum d'espèces. Si vous laissez des tiges de maïs entières dans votre jardin pendant toute la durée de l'hiver, certains oiseaux assez habiles pour dégager l'épi de son enveloppe feuillue trouveront là une source naturelle d'alimentation. Ces mêmes tiges, liées à la manière de gerbes et entassées près de champs plantés d'arbres et de vergers, peuvent procurer abri et nourriture aux Colins, à la Gélinotte huppée et aux Faisans à collier à condition toutefois qu'on laisse un peu de maïs égrené en dessous. Le maïs, comme les graines de tournesol, se vend en grandes quantités. Il donne de bons résultats présenté dans des mangeoires du type trémie, sur des tables basses ou à même le sol. Il fait aussi merveille servi dans un mélange d'aliments à picorer (sujet abordé plus loin dans ce chapitre).

Le maïs plaît aux oiseaux suivants: Cardinaux, Vachers, Corneilles, Tourterelles Pigeons, Bernaches du Canada, Mainates, Gros-becs à poitrine rose, Juncos ardoisés, Canards, Gélinottes huppées, Faisans à collier, Corbeaux, Pinsons, Tohis aux yeux rouges, Pics chevelus, Pics flamboyants, Gros-becs errants.

Le blé

La graine du blé, entière ou débarrassée de son enveloppe, exerce un vif attrait sur un grand nombre d'oiseaux. Si vous avez la chance de disposer d'une pièce d'eau sur votre terrain, vous pourriez avoir envie de commencer à nourrir régulièrement les Canards et les Bernaches durant les mois d'été: cela les inciterait à rester pour l'hiver. Le blé et les céréales du même ordre constituent la nourriture favorite de ces oiseaux. Après la récolte, les champs de blé présentent parfois, comme une pièce sur un vêtement, des « plaques » formées par des chaumes couchés ou de petits coins manqués par les moissonneuses-batteuses. Ramassez-y des poignées de tiges que vous lierez essemble. Enfoncées dans la neige, la tête bien en vue, elles serviront à l'alimentation des oiseaux et à votre divertissement. Si par hasard, il y a une clôture bordée d'arbres au fond de votre terrain, vous pouvez y attacher des bottes de blé à l'intention des Faisans.

Le blé est l'aliment de prédilection des Ictéridés (Carouges à épaulettes, Vachers, Mainates), des Bruants des neiges, des Cardinaux, des Corneilles d'Amérique, des Tourterelles tristes, des Pigeons, des Canards malards, des Canards noirs, des Bernaches du Canada, des Gros-becs à poitrine rose, des Geais (Geai bleu, Geai gris, Geai de Steller), des Juncos ardoisés, des Faisans à collier, de la plupart des Pinsons, des Tohis aux yeux rouges et des Étourneaux.

Le millet

Il existe un assez bon nombre de variétés de millet, mais toutes exercent le même attrait sur le plan nutritif et gustatif. La graine de millet, à cause de sa petitesse, se prête admirablement à son inclusion dans les recettes de suif (gâteaux). Éparpillez le millet à même le sol ou sur des tables basses afin de le rendre plus accessible aux oiseaux se nourrissant au sol. C'est l'aliment favori du Cardinal, de la Tourterelle triste, du Pigeon biset, du Roselin

Tiges de blé liées et enfoncées dans la neige; grains de blé.

pourpré, du Chardonneret jaune, de la Bernache du Canada, du Junco ardoisé, du Canard malard, du Sizerin et de la plupart des Pinsons.

La graine de chanvre

Du fait que le chanvre est aussi la plante d'où l'on tire la marijuana, il existe des règlements gouvernementaux imposant le blanchiment et la stérilisation de ses graines avant leur mise en marché. La stérilisation diminue l'attrait des oiseaux pour les graines de chanvre, aliment que l'on retrouve malgré tout dans les mélanges pour espèces sauvages. Pour sa présentation, suivez les instructions données à propos du millet. Les oiseaux qui mangent du millet accepteront généralement d'y voir substituer de la graine de chanvre.

Le riz

Même s'il ne jouit pas d'une aussi grande vogue que le blé, le riz peut lui servir de substitut. Cuit ou non, il conviendra. Le riz naturel sera évidemment plus nourrissant que son pendant traité, altéré. Néanmoins, tous les types de riz contiennent des hydrates de carbone d'une grande valeur nutritive.

Parmi les oiseaux qui consomment cette céréale, l'on compte le Cardinal, le Carouge à épaulettes, le Pigeon biset, la plupart des Canards et des Oies, le Junco ardoisé, la plupart des Pinsons et la Tourterelle triste.

L'avoine

Qu'elle soit servie sous forme de graines, qu'elle se présente broyée, roulée ou qu'elle prenne l'aspect de gruau solidifié, l'avoine attirera la plupart des oiseaux noirs, les Cardinaux, les Tohis aux yeux rouges, la plupart des Pinsons, les Faisans à collier, les Juncos ardoisés, les Mainates, les Gros-becs et les Pigeons bisets.

Le sorgho cultivé

Les graines de sorgho sont la nourriture préférée des Cardinaux, des Tourterelles tristes, des Mainates, des Geais bleus, des Juncos ardoisés et de la plupart des Pinsons.

La graine de colza

Le colza est une plante appartenant à la famille de la moutarde dont on fait la culture à vaste échelle dans la région des Prairies. Sa graine est l'aliment favori de la Tourterelle triste, du Chardonneret jaune, du Roselin pourpré, du Junco ardoisé et du Sizerin.

Le sarrasin

Habituellement présente dans les mélanges préparés pour oiseaux d'espèces sauvages, cette céréale se vend par ailleurs dans les moulins. Lorsque vous aurez acheté une quantité convenable de ces graines de petite dimension, dures au toucher et en forme de pyramides, vous serez à même d'en ajouter dans vos mélanges maison suivant une proportion adaptée à la demande.

Le sarrasin (variété commune) fera les délices des Cardinaux, des Corneilles d'Amérique, de la Gélinotte huppée, des Faisans à collier, des Tourterelles tristes et des Pinsons.

LES ALIMENTS À PICORER

L'usage commercial des aliments à picorer sert généralement à l'alimentation des poulets. Il est bon cependant d'en offrir un peu aux oiseaux qui fréquentent votre jardin. Le système digestif des oiseaux, pour fonctionner efficacement, nécessite qu'ils

Suif dans un sac à oignons à mailles de plastique.

Suif fondu et graines dans un contenant jetable.

ingèrent de petites quantités de terre. L'addition d'un soupçon de sable fin à de petites graines comme le millet, le sorgho, le colza, le blé ou le maïs broyé peut donner un bon mélange d'aliments à picorer. Il est également possible d'ajouter d'autres éléments essentiels à l'alimentation des oiseaux, tels le sel et le calcium (coquille d'œuf). Présentez des aliments à picorer parallèlement à d'autres mélanges ou éparpillez-en occasionnellement sur le sol.

LE SUIF

Le suif semble combler les besoins de tous les oiseaux mangeurs d'insectes. Ils trouvent dans le gras l'énergie et les calories nécessaires pour affronter l'hiver. Enlevez les parties filandreuses qui se détachent et gardez-les pour les faire fondre. Quant aux morceaux entiers, plus gros (de la taille d'un petit poing fermé environ), recouvrez-les de filets à mailles de plastique, attachés à une extrémité (des sacs à oignons font très bien l'affaire en l'occurrence). Il faut fixer solidement ces sacs à des branches ou à des mangeoires spéciales à l'aide de corde ou de ficelle.

Faites fondre les restes filandreux dans une casserole, versez dans de petits contenants et laissez figer. Des verres de plastique ou de papier conviennent mieux que des contenants de métal, car ils ne présentent aucun risque pour les oiseaux, et on peut les jeter après usage. On a le choix de servir le suif ainsi, nature, ou d'y ajouter n'importe quelle variété de noix, des graines, des groseilles, des raisins secs, du beurre d'arachide, des cœurs d'arachide ou du maïs. Dans toutes les recettes préférées de vos oiseaux, il joue à merveille le rôle d'agent d'homogénéisation. Quelques mises en garde : 1) n'utilisez pas de filet à mailles métalliques, de toile métallique pour moustiquaires ni de fil métallique pour envelopper le suif; 2) ficelez solidement le sac de façon à éviter que les oiseaux de grande taille et les écureuils n'emportent tout le contenu; 3) par temps doux, enlevez les résidus filandreux de suif afin de les empêcher de rancir; 4) mettez le sac hors de portée des chiens.

Gardez la graisse et les petits morceaux de bacon ainsi que des viandes cuites au four en vue de les utiliser de la même manière que le suif. Comme ces substances grasses ont généralement une consistance plus molle que le suif, il est recommandé de les accommoder avec d'autres ingrédients, comme dans les recettes mentionnées ci-dessus. Presque tous les oiseaux consomment du gras animal sous une forme ou une autre.

LE PAIN ET LES ALIMENTS TRAITÉS

Le pain est une denrée de première nécessité non seulement dans notre régime alimentaire, mais aussi dans celui des oiseaux nichant dans les villes. Son usage permet d'exercer un contrôle sur les hôtes de nos mangeoires. Commencez à en mettre dehors au début de la saison hivernale; sitôt que votre générosité vous aura valu la visite de volées d'Étourneaux et de Moineaux domestiques, vous pouvez être assuré que d'autres espèces suivront leur exemple. Lorsque le nombre d'oiseaux qui fréquente votre terrain est démesuré et que la surpopulation devient un problème, éloignez le pain des mangeoires et réduisez-en les rations quotidiennes. Si, après cela, vous avez encore trop d'Étourneaux et de Moineaux domestiques, essayez de sauter un jour ou deux. La pratique de donner du pain aux oiseaux nichant en milieu urbain est répandue dans le monde entier. On en distribue de grandes quantités aux Pigeons bisets, aux Étourneaux et aux

Moineaux domestiques dans les parcs des grandes villes. Les Canards, les Bernaches et les Goélands sont aussi habitués au goût du pain et se battent entre eux pour manger les gros morceaux. Éparpillez le pain sur une large étendue, dans un endroit où de nombreux oiseaux aux aguets comptent sur votre bienveillance. Rappelez-vous que le pain de blé entier a davantage de valeur nutritive pour eux.

On peut aussi offrir des craquelins, des muffins, des fonds de tartes, du blé entier et d'autres céréales, du maïs soufflé, des biscuits et de la nourriture solide pour chien; mais c'est courir le risque d'attirer des chiens ainsi qu'un plus grand nombre d'Étourneaux, de Corneilles et d'écureuils. Vous serez peut-être contraint d'aller déposer ces aliments à l'écart de votre aire d'alimentation habituelle.

LES NOIX

Toutes les noix sont nutritives, car elles contiennent protéines, hydrates de carbone, gras et vitamines. Elles coûtent trop cher pour qu'on en distribue régulièrement des tonnes aux oiseaux, mais l'ajout périodique de petites quantités au menu proposé peut attirer certaines espèces qui ne viendraient pas autrement à vos mangeoires. La cueillette de noix indigènes, glandes de chêne, châtaignes, glands de hêtre et noix de Grenoble, avant que les écureuils ne les cachent, vous permettra de diversifier votre programme d'alimentation et d'éviter une trop grande dépense.

Les arachides

Les oiseaux de petite taille éprouvent une certaine difficulté à pénétrer à l'intérieur d'arachides non écalées. De votre côté, cependant, vous pourriez trouver amusante la gymnastique à laquelle certains d'entre eux se livrent pour parvenir au fruit convoité. Si vous ne voulez pas que les grands oiseaux et les écureuils emportent tout le paquet, attachez ensemble quelques

Les petits morceaux que l'on voit ci-dessous sont des cœurs d'arachides.

grosses arachides à l'aide de nylon épais ou de fil de lin et suspendez-les à votre corniche ou à une branche d'arbre.

Il existe un moyen peu coûteux de se procurer des arachides devant servir à l'alimentation des oiseaux : ce moyen consiste à les acheter sous la forme de « cœurs », nom donné à la petite articulation qui joint les deux parties de l'arachide et se détache lorsqu'on les sépare. Les petits morceaux ainsi obtenus sont les sous-produits de l'industrie de l'arachide. On les trouve dans certains établissements spécialisés dans la nourriture pour animaux. Quant au beurre d'arachide, on peut, malgré son coût élevé, en ajouter de petites quantités aux gâteaux de suif ou en enduire l'écorce des arbres ou l'extérieur des cônes qui pendent aux branches de pin afin de permettre aux oiseaux de venir le becqueter. Les enfants apprécieraient de se voir confier la préparation de telles gâteries. Présenter des arachides salées à l'occasion ne fait pas de mal. Le sel compte parmi les substances alimentaires dont certains oiseaux s'entichent et qu'ils mangent à dessein. Les arachides sont la nourriture favorite de la plupart des Ictéridés, des Cardinaux, des Moqueurs chats, des Mésanges, des Corneilles, des Pigeons, des Roselins pourprés, des Merles d'Amérique, des Mésanges huppées d'Amérique, des Troglodytes, de la plupart des Pinsons, des Juncos ardoisés, de la plupart des Sittelles et de quelques Pics.

Les noix de qualité

Les noix de qualité, noix de Grenoble, pacanes, noisettes, noix d'acajou et amandes, ne devraient faire partie du menu qu'à titre de « spécial »; autrement, vous risquez de voir envahir vos postes d'alimentation par les écureuils. Comme ces noix sont pour eux objet de grande convoitise, il y a avantage à leur en donner exprès, non écalées et à distance des oiseaux. Ainsi détournerez-vous temporairement leur attention.

La noix de coco

La noix de coco plaît à certains oiseaux, comme les Mésanges.
Servez des morceaux frais débarrassés de la coque.

LES FRUITS

Les pommes et les poires

Certaines variétés de pommes et de poires se prêtent mieux à
l'alimentation des oiseaux qu'à la consommation humaine. Dans
les vergers que l'on a négligés et sur les arbres poussant à l'état
sauvage, on trouve de petits fruits piqués dont il est opportun
de ramasser des paniers pour les ranger au frais à l'intention des
oiseaux. Tant qu'ils se conservent, on peut leur en servir à manger.
Coupez pommes et poires en deux pour qu'ils voient les pépins.
Les pommettes présentent le même attrait.

   La plupart des pommes et des poires plaisent aux Geais bleus,
aux Corneilles, aux Mainates, aux Gélinottes huppées, aux Étourneaux, aux Jaseurs, aux Faisans à collier et aux Pics chevelus.

Les raisins secs et les groseilles (ou gadelles)

S'il se trouve des Merles-bleus dans votre secteur, vous avez
de fortes chances de les attirer à votre mangeoire par des raisins
secs et des groseilles (ou gadelles).

LES LÉGUMES ET LES GRAINES DE LÉGUMES

La plupart des oiseaux ne démontrent pas un intérêt excessif pour
les légumes, qu'ils soient crus ou cuits. Gardez cependant les
graines de vos citrouilles, de vos courges, de vos cantaloups
et de vos melons d'eau. Lavez-les et séchez-les. Certains oiseaux
tels les Cardinaux, Mésanges, Geais bleus et Sittelles les mangeront.

NOMENCLATURE DES ALIMENTS AIMÉS DES OISEAUX

Aliments	Oiseaux attirés
Abricots	Corneilles
Mûres, framboises d'été et d'automne	Merles-bleus, Colins, Cardinaux, Moqueurs chats, Moqueurs, Orioles, Mainates, Geais bleus, Juncos, Étourneaux.
Cerises — cerises d'été et cerises à grappes	Merles-bleus, Gros-becs, Gélinottes huppées, Merles d'Amérique, Pics.
Cerises de France Couvrez vos cerisiers d'un filet pour en écarter les oiseaux si vous voulez avoir une récolte — n'utilisez ni fil à coudre ni fil métallique	Merles-bleus, Colins, Cardinaux, Moqueurs chats, Corneilles, Pics, Gros-becs, Gélinottes huppées, Geais bleus, Tyrans, Merles d'Amérique, Pics, Tohis, Mainates.
Canneberges	Merles d'Amérique, Corneilles.
Gadelles (ou groseilles)	Merles-bleus, Merles d'Amérique, Moqueurs polyglottes, Gélinottes huppées.
Senelles rouges Cueillette en automne pour l'hiver	Gélinottes huppées, Jaseurs des cèdres, Faisans à Collier.
Baies de houx	Pics flamboyants, Merles d'Amérique, Merles-bleus, Moqueurs polyglottes, Moqueurs roux.
Pois — frais dans leur cosse ou séchés	Corneilles, Mainates, Gros-becs, Canards malards, Faisans à colier.
Pêches séchées	Moqueurs chats, Roselins pourprés, Geais bleus, Moqueurs polyglottes, Merles d'Amérique, Moqueurs roux.
Prunes Pruneaux séchés	Moqueurs chats, Geais bleus, Moqueurs polyglottes, Merles d'Amérique, Moqueurs roux, Mainates, Pics, Tohis aux yeux rouges.
Fraises	Moqueurs chats, Corneilles, Merles d'Amérique, Étourneaux.
Eau sucrée — présentée dans des mangeoires à part	Colibris (en été seulement).
Viande, fromage, reliefs de repas	Étourneaux, Moineaux domestiques, Goélands, Ictéridés, Corneilles.
Baies	Ictéridés, Moqueurs chats, Cardinaux, Corneilles, Pigeons, Pics, Mainates, Gros-becs, la plupart des Pinsons, Merles d'Amérique, Moqueurs polyglottes, Geais, Gélinottes, Roselins, Étourneaux, Grives, Moqueurs roux, Tohis, Viréos, Jaseurs.
Graines séchées	Ictéridés, Bruants, Cardinaux, Vachers, Corneilles, Tourterelles, Canards, Roselins, Oies, Mainates, Geais, Juncos, Faisans à Collier, Sizerins, Chardonnerets des pins, Pinsons, Moqueurs roux, Mésanges huppées, Tohis.
Noix	Cardinaux, Moqueurs chats, Becs-croisés, Corneilles, Roselins, Mainates, Gros-becs, Geais, Juncos, Sittelles, Chardonnerets, Étourneaux, Moqueurs roux, Mésanges huppées, Tohis, Pics, Troglodytes.

4 Les mangeoires

*Les « hangars à bois » constituent
de bons abris pour nourrir des oiseaux
tels les Juncos et les Troglodytes.*

Chaque oiseau pris individuellement a son comportement propre en matière d'alimentation. Cette diversité dans le comportement des oiseaux appelle une diversité correspondante dans la conception des mangeoires. Les Cardinaux sont plus susceptibles d'utiliser une mangeoire pourvue d'un perchoir, les Juncos préfèrent se nourrir au sol et les Pics aiment les mangeoires suspendues à la verticale ou dont l'aspect évoque un tronc d'arbre.

Si vous êtes en faveur d'une alimentation au sol, il y a un certain nombre d'endroits appropriés où disperser la nourriture. Les branches basses des épinettes, des sapins et des pruches de grande taille et au feuillage épais peuvent empêcher une partie de la neige de couvrir les aliments déposés par vous. Des bûches creuses, des cordées de bois, des « hangars à bois » ou des passages pratiqués à la pelle dans la neige peuvent offrir quelque abri aux espèces qui fouillent le sol. Lorsque vous nourrissez les oiseaux à proximité ou en dessous de conifères, assurez-vous qu'il n'y a rien dans les alentours qui puisse servir de cachette aux chats. Pourtant de nature à servir d'abri, les haies de thuyas (*cèdres*) sont d'ordinaire assez épaisses pour dissimuler un chat aux aguets.

Il y a un certain nombre de critères à envisager avant de décider du type de mangeoire à acheter ou à construire. Si vous en achetez une, choisissez-la de conception simple de façon qu'elle soit facile à nettoyer et à tenir approvisionnée. Les meilleures mangeoires sont habituellement faites de séquoia ou de cèdre à l'épreuve de la pourriture. Ces bois supportent bien les écarts de température et prennent une couleur gris argenté qui s'harmonise bien avec le paysage. Évitez d'acheter des mangeoires de métal susceptibles de présenter des coins pointus et des parties sujettes à rouiller, capables également de se couvrir dangereusement de glace après un léger dégel. Par des froids extrêmes, les oiseaux peuvent se geler les yeux et la langue au contact de surfaces de métal.

Il existe des mangeoires en plastique, mais elles sont, à mon avis, généralement trop fragiles et trop légères. Elles ont tendance à se casser et à bouger au vent, ce qui fait tomber la plus grande partie des graines par terre. Quelques mangeoires en plastique, de plus petite dimension, se révèlent cependant fort utiles.

Toutes les mangeoires du type trémie (d'où l'on ne peut retirer qu'une certaine quantité de graines à la fois) devraient être fixes. Si on les suspend, il faut les assujettir d'une façon quelconque afin d'empêcher qu'un balancement excessif causé par le vent n'entraîne une perte de graines inutile. La meilleure solution consiste à les monter solidement sur un piquet, un poteau de métal (voir illustration) ou, directement, sur le côté d'un arbre (ce qui comporte un désavantage possible, à savoir offrir un accès trop facile aux écureuils).

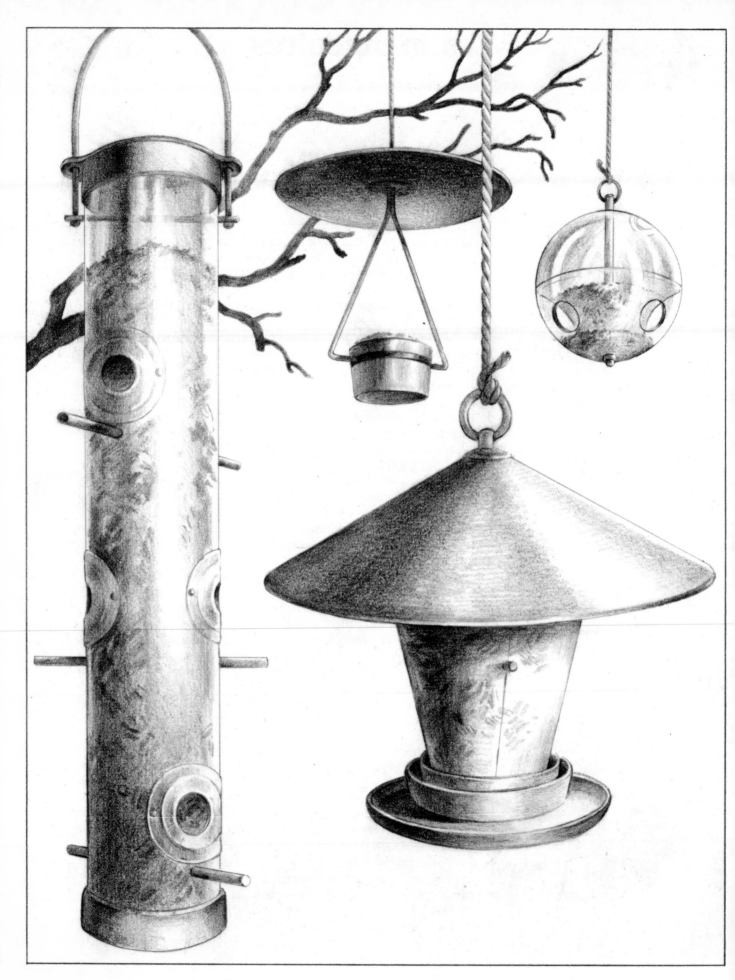

Si vous décidez de fabriquer une mangeoire, ne traitez pas le bois avec des enduits pour le protéger de l'eau. Presque tous ces produits présentent des dangers d'empoisonnement. Les mangeoires sèchent rapidement au grand air, et le risque de pourriture ne devrait pas être très élevé.

Dernière mise en garde : il peut se révéler nécessaire d'avoir recours à un dispositif quelconque pour empêcher les écureuils de vider rapidement vos mangeoires (voir illustration et chapitre 5 : Problèmes et solutions).

TABLES OU PLATES-FORMES AU RAS DU SOL

Quelques petites mangeoires à suspendre en plastique à l'intention de petits oiseaux tels les Mésanges.

D'une extrême simplicité, la fabrication d'une table basse permet de nourrir efficacement les oiseaux qui fouillent le sol et les oiseaux percheurs. Cette table est faite d'une feuille de contre-plaqué ou de plusieurs planches clouées ensemble pour former une surface d'approximativement 0,5 m² (6 pieds²) (avec des mesures de 0,6 m sur 0,9 m (2 pieds sur 3), on obtient une bonne dimension). On fixe des pieds à la plate-forme de manière à l'élever d'environ 0,6 m (2 pieds) au-dessus du sol (plus haut dans des régions plus neigeuses). L'ajout d'un rebord de bois (languette clouée) sur le pourtour de cette surface empêchera la nourriture de partir au vent ou de tomber par terre. Le rebord sert aussi de point d'appui aux oiseaux percheurs. Il convient de placer ce type de mangeoire dans un coin de votre cour qui soit ouvert mais en même temps abrité. Si l'on dispose la table de façon qu'elle penche légèrement, cela permet au surplus d'eau de s'écouler en cas de pluie ou de dégel rapide. Creusez quelques trous à l'extrémité la plus basse. Dans le choix d'un emplacement, vous devriez prendre en considération la nécessité de vous ménager un accès facile, car il vous faudra réapprovisionner ce type de mangeoire quotidiennement.

Vous ferez mieux ici de servir des mélanges de petites graines (millet, maïs broyé, sarrasin, blé, etc.) et des aliments à picorer : cette nourriture attirera davantage les oiseaux que les écureuils. Si l'obligation constante de pelleter la neige devient un problème, vous pouvez toujours ajouter un toit faiblement incliné (en appentis ou à double pente). Laissez cependant les côtés ouverts afin de permettre à un maximum d'oiseaux d'entrer et de leur ménager des voies de sortie.

TABLE AU RAS DU SOL

TABLE AU RAS DU SOL

de 900 à 1200mm (3 à 4') (côté long)
600mm (2') (côté court)

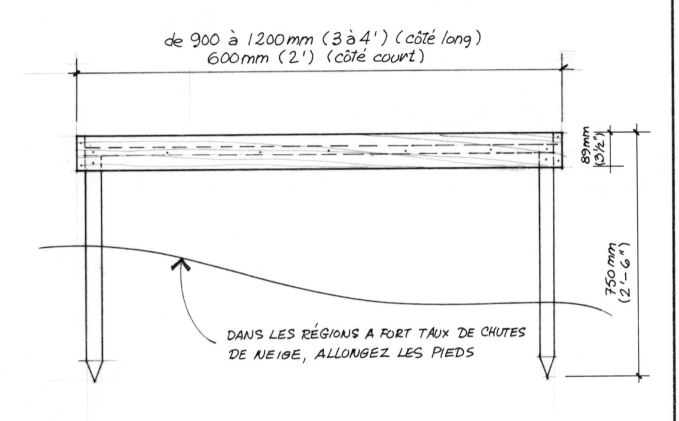

89mm (3½")

750mm (2'-6")

DANS LES RÉGIONS A FORT TAUX DE CHUTES
DE NEIGE, ALLONGEZ LES PIEDS

DÉTAILS DE L'ANGLE

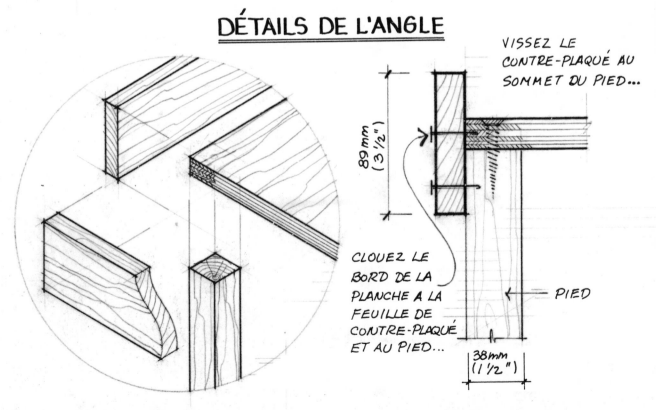

VISSEZ LE
CONTRE-PLAQUÉ AU
SOMMET DU PIED...

89mm (3½")

CLOUEZ LE
BORD DE LA
PLANCHE A LA
FEUILLE DE
CONTRE-PLAQUÉ
ET AU PIED...

PIED

38mm (1½")

MANGEOIRES POSÉES SUR LE REBORD D'UNE FENÊTRE

Les tablettes posées sur un rebord de fenêtre sont probablement les mangeoires qui se prêtent le mieux à l'observation des oiseaux. Il convient de ne pas les installer avant de vous être servi d'autres types de mangeoires, placées à distance de votre domicile. Les hôtes réguliers de votre rebord de fenêtre s'habitueront plus vite aux surfaces vitrées et à vos mouvements de l'autre côté que ses visiteurs occasionnels. Ces mangeoires sont de simples prolongements des rebords de fenêtre extérieurs. Elles ne devraient pas former une saillie de plus de 305 mm (1 pied) par rapport au mur, car l'écoulement d'eau risque de devenir un problème. Encore là, on a intérêt à poser une bordure sur le pourtour.

Pour consolider de façon plus sûre, la pose d'un support additionnel en diagonale peut se révéler nécessaire. Si la fenêtre ne s'ouvre pas, soyez sûr au moins d'avoir à proximité une porte pour vous faciliter la tâche du réapprovisionnement. Il est également possible d'adapter ce type de mangeoire de manière à pouvoir la fixer sur une rampe de balcon. Faites plus grandes (mais pas au point de devenir gênantes), les tablettes sont utiles aux habitants d'appartements et autres personnes qui ne jouissent pas d'un accès commode à une cour arrière. Si vous construisez une mangeoire de ce dernier type, soyez sûr d'y pratiquer des trous pour permettre l'écoulement d'eau.

TABLETTE À FIXER SUR LE REBORD D'UNE FENÊTRE

TABLETTE À FIXER SUR LE REBORD D'UNE FENÊTRE

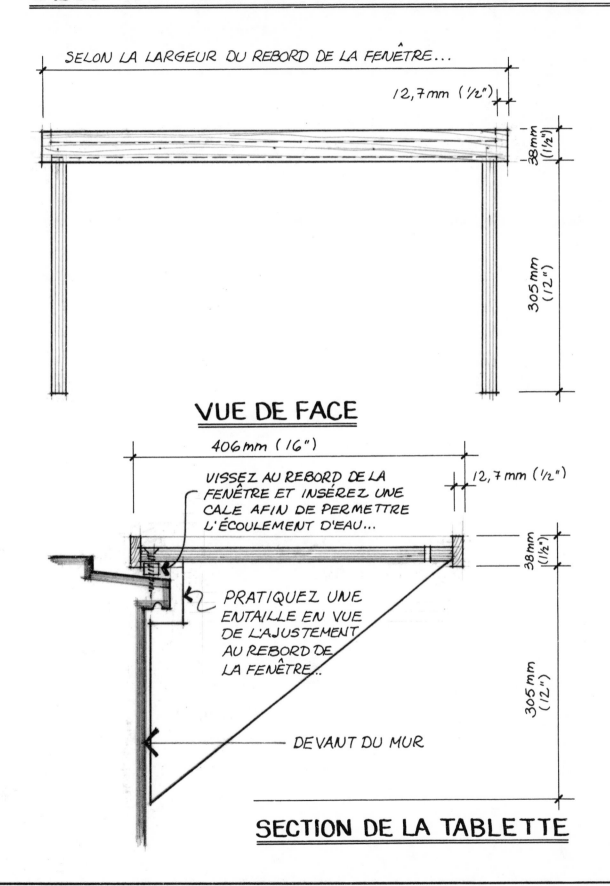

SELON LA LARGEUR DU REBORD DE LA FENÊTRE...

12,7mm (½")

38mm (1½")

305mm (12")

VUE DE FACE

406mm (16")

12,7mm (½")

VISSEZ AU REBORD DE LA FENÊTRE ET INSÉREZ UNE CALE AFIN DE PERMETTRE L'ÉCOULEMENT D'EAU...

38mm (1½")

PRATIQUEZ UNE ENTAILLE EN VUE DE L'AJUSTEMENT AU REBORD DE LA FENÊTRE...

305mm (12")

DEVANT DU MUR

SECTION DE LA TABLETTE

MANGEOIRES SUR PIED

Les mangeoires sur pied présentent un certain nombre d'avantages. Placées dans un coin de votre cour à la fois ouvert et protégé, elles devraient être à peu près à hauteur de la tête (assez élevées pour décourager les écureuils et les chats de s'y aventurer). On peut les monter sur un poteau de bois (un piquet de clôture fait l'affaire) ou un tuyau de métal (voir illustration à ce propos).

Il vous est loisible de leur donner une base carrée ou rectangulaire, mais la surface destinée à l'alimentation ne devrait pas excéder 0,35 m² (4 pieds²) (avec des mesures de 600 mm sur 450 mm (24″ sur 18″) on obtient une bonne dimension). Il convient de placer tout côté fermé face à la direction des vents dominants afin d'assurer une meilleure protection. Pour contenir les aliments, la pose d'une bordure est nécessaire. Tous les types d'aliments, y compris les gâteaux de suif et les sacs de gras animal, tiendront dans une mangeoire de cette sorte. Prévoyez un crochet à œillet pour assujettir les sacs de suif.

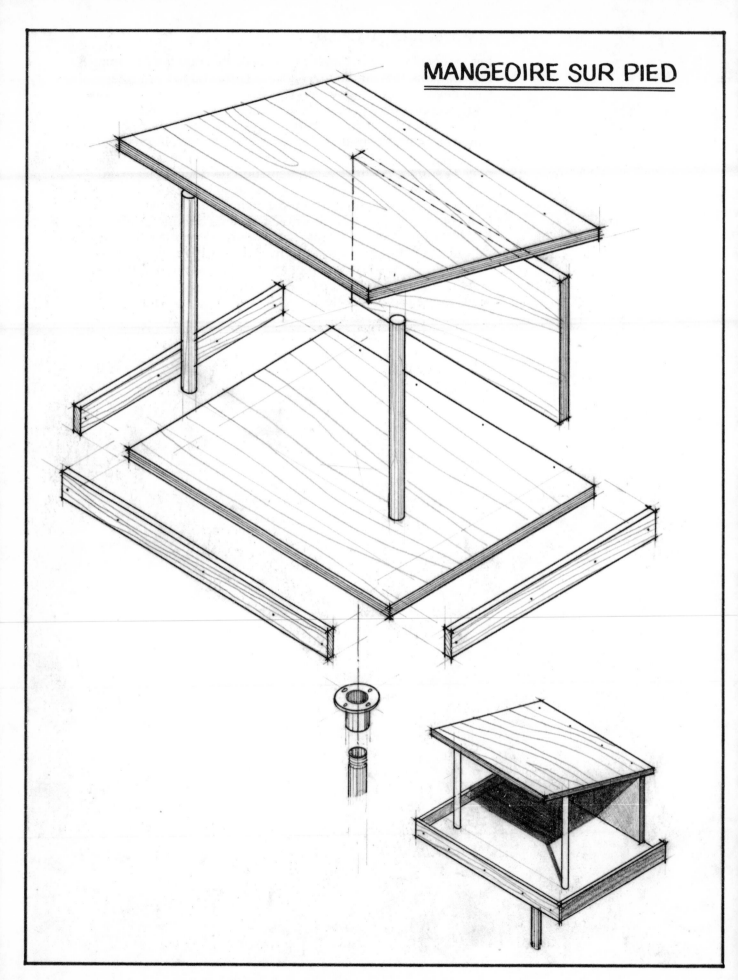

MANGEOIRE SUR PIED

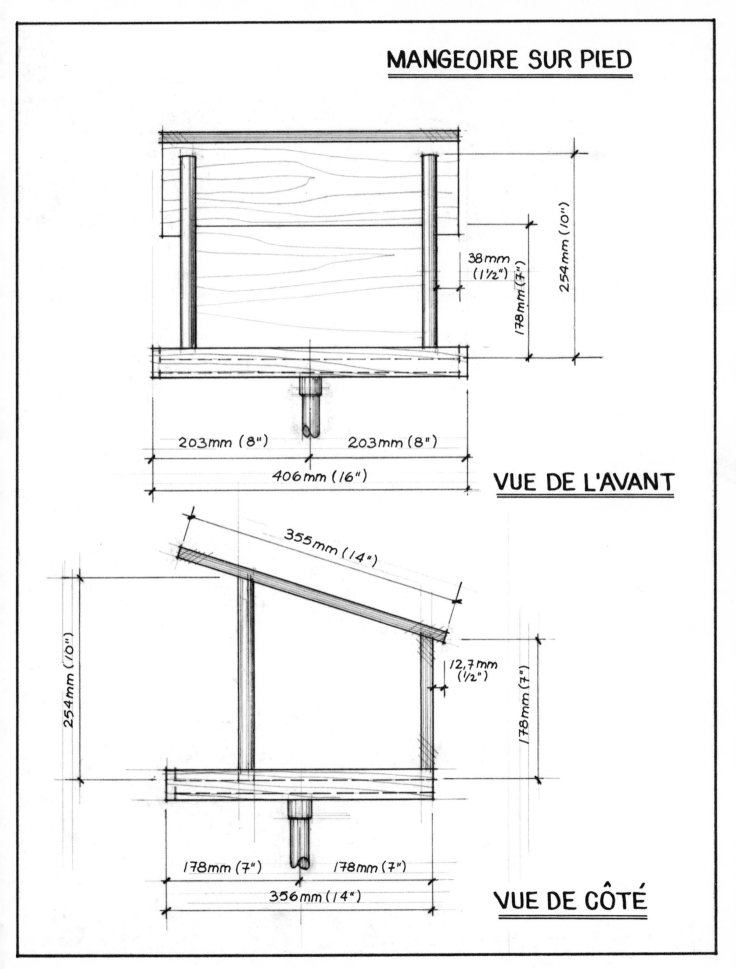

254mm (10")

38mm (1½")

178mm (7")

203mm (8")   203mm (8")

406mm (16")

VUE DE L'AVANT

355mm (14")

254mm (10")

12,7mm (½")

178mm (7")

178mm (7")   178mm (7")

356mm (14")

VUE DE CÔTÉ

MANGEOIRES DU TYPE TRÉMIE

Les mangeoires du type trémie sont celles qui se prêtent le mieux à la distribution de quantités massives de graines et de mélanges de graines. Suivant le nombre d'oiseaux fréquentant votre terrain de façon quotidienne, il est possible avec une grosse mangeoire du genre trémie de dispenser lentement et automatiquement de la nourriture pendant une période d'une semaine. Cette particularité tombe tout à fait à propos pour les personnes susceptibles de s'éloigner de leur domicile quelques jours à la fois. Si vous projetez de prendre des vacances d'hiver, le voisin ou l'ami à qui vous en confiez la responsabilité, peuvent bien n'avoir à remplir votre mangeoire qu'une ou deux fois seulement durant votre absence. Lorsqu'elles sont de grandes dimensions, il convient de fixer solidement ces mangeoires sur un pieu ou un poteau rigide. Dans l'achat ou la fabrication de telles mangeoires, fuyez les gadgets. Ils ne causent que des problèmes. Prenez, par exemple, le modèle girouette si à la mode : il a tendance à se coincer. Enfin, les mangeoires du type trémie à un seul côté devraient être montées directement sur le côté d'un piquet de clôture ou d'un arbre robuste (voir illustration).

Si vous optez en faveur d'une mangeoire de votre fabrication, gardez-vous de poser une ouverture à charnières sur le toit pour le remplissage. Cela affaiblit la structure, et les joints laisseront inévitablement pénétrer de l'eau. Percez plutôt un trou assez gros pour y insérer un entonnoir — 25 mm (1 pouce) de diamètre — qui servira au réapprovisionnement. On peut boucher ce trou à l'aide d'une capsule ou d'un gros bouchon de liège. Pour les côtés transparents devant permettre la vérification du niveau du contenu, si possible, utilisez du plexiglas de préférence au verre. Cela facilitera la construction et rendra le produit fini plus robuste, plus sûr. On peut visser et percer des trous dans le plexiglas de façon à en faire une partie intégrante de la structure. Comme ces mangeoires sont appelées à supporter des charges plus lourdes que les autres types de mangeoires, prenez le temps de les construire comme il faut. Assurez-vous que l'ouverture par où doit s'écouler la nourriture a les dimensions appropriées (voir le plan).

Les mangeoires vendues dans les magasins se présentent sous tant de formes, de grandeurs, de couleurs et sont faites de matériaux si divers que je n'ai pu en illustrer qu'un petit nombre. La plupart des petites mangeoires à suspendre sont en plastique et ne peuvent accueillir qu'un oiseau à la fois. De telles mangeoires visent davantage à amuser qu'à nourrir efficacement.

MANGEOIRES SPÉCIALES POUR SUIF

Pour offrir du gras animal ou du suif aux oiseaux, on peut avoir recours à une série de moyens. La méthode la plus simple consiste à en envelopper des mottes dans de petits bouts de filets de pêche ou de sacs à oignons en plastique et de fixer le tout à une grosse branche d'arbre ou à un piquet de clôture. Il est également possible de suspendre ces sacs à un œillet posé à l'intérieur d'une grande mangeoire sur pied à fond plat.

Un autre moyen consiste à fabriquer une variante de la mangeoire du type trémie à côté unique. Au lieu de mettre du verre, vous pouvez installer un quelconque dispositif pour attacher le suif.

MANGEOIRE SPÉCIALE POUR GRAS ANIMAL ou
MANGEOIRE DU TYPE TRÉMIE

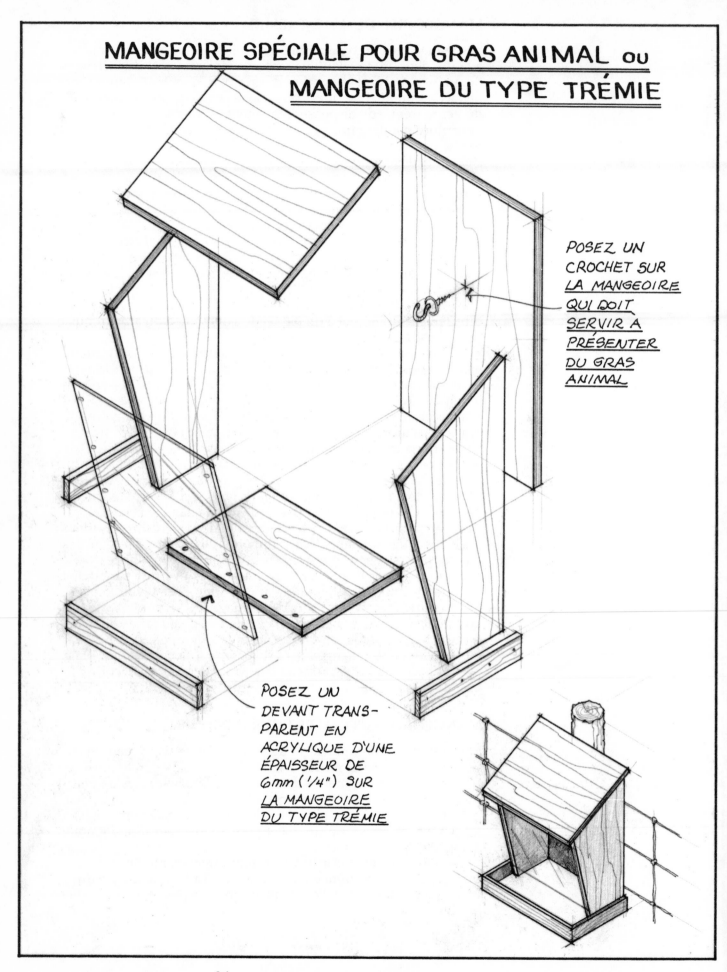

POSEZ UN CROCHET SUR *LA MANGEOIRE* QUI DOIT SERVIR A PRÉSENTER DU GRAS ANIMAL

POSEZ UN DEVANT TRANS- PARENT EN ACRYLIQUE D'UNE ÉPAISSEUR DE 6mm (¼") SUR *LA MANGEOIRE DU TYPE TRÉMIE*

MANGEOIRE SPÉCIALE
POUR GRAS ANIMAL
ou MANGEOIRE
DU TYPE TRÉMIE

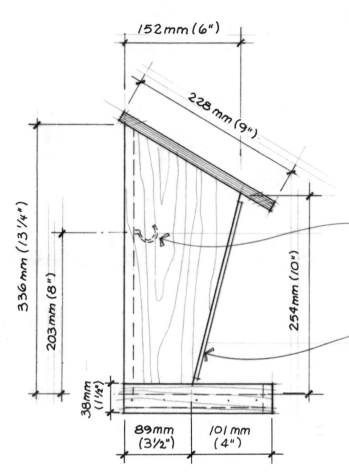

152mm (6")

228 mm (9")

336mm (13 1/4")

203mm (8")

254mm (10")

38mm (1/2")

89mm (3 1/2")

101 mm (4")

POSEZ UN CROCHET...
SUR LA MANGEOIRE QUI DOIT
SERVIR A PRÉSENTER
DU GRAS ANIMAL

POSEZ UN DEVANT TRANSPARENT
EN ACRYLIQUE DE 6mm (1/4")
D'ÉPAISSEUR SUR LA
MANGEOIRE DU TYPE TRÉMIE

VUE DE CÔTÉ

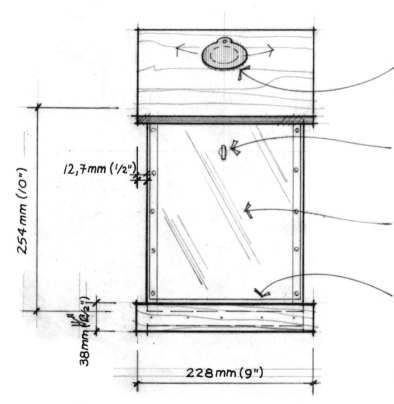

254mm (10")

12,7mm (1/2")

38mm (1/2")

228mm (9")

TROU DE 38mm (1 1/2") DE DIAMÈTRE
MUNI D'UN CLAPET EN ALUMINIUM
DE 63,5mm (2 1/2") DE DIAMÈTRE
POUR LE REMPLISSAGE DE
LA MANGEOIRE DU TYPE TRÉMIE

POSEZ UN CROCHET SUR
LA MANGEOIRE POUR GRAS ANIMAL

DEVANT TRANSPARENT
EN ACRYLIQUE DE 6mm (1/4")
PERCEZ DES TROUS DANS
L'ACRYLIQUE ET VISSEZ-LE À LA
MANGEOIRE DU TYPE TRÉMIE

LAISSEZ UN ESPACE
DE 16mm (5/8") ENTRE
LE DEVANT D'ACRYLIQUE
ET LE BAS DE LA MANGEOIRE

VUE DE FACE

DOUBLE TRÉMIE

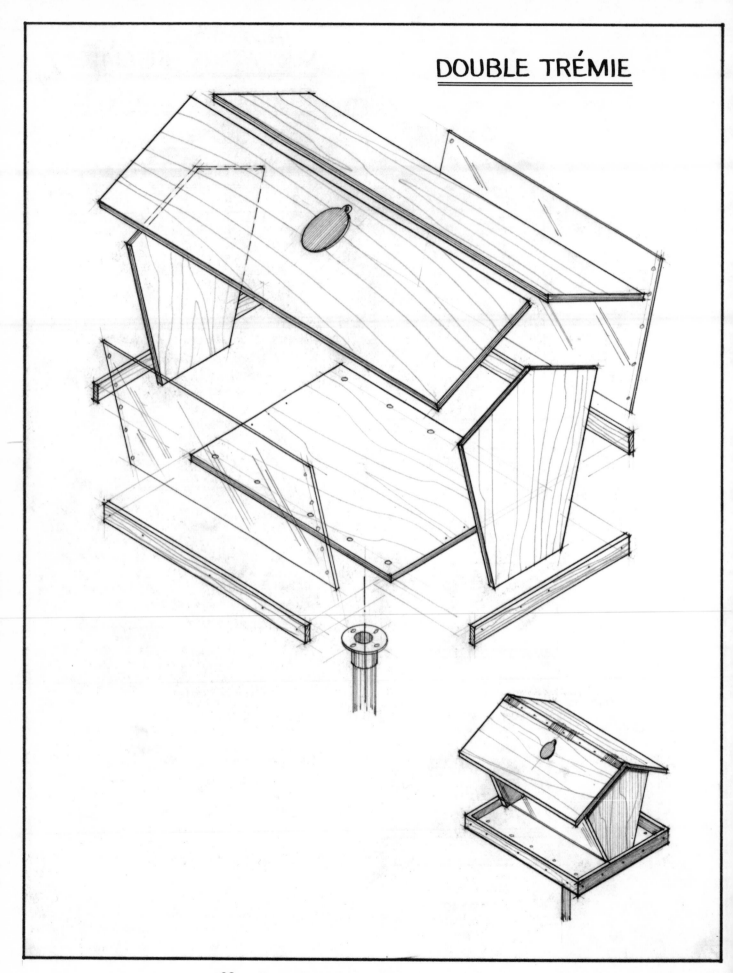

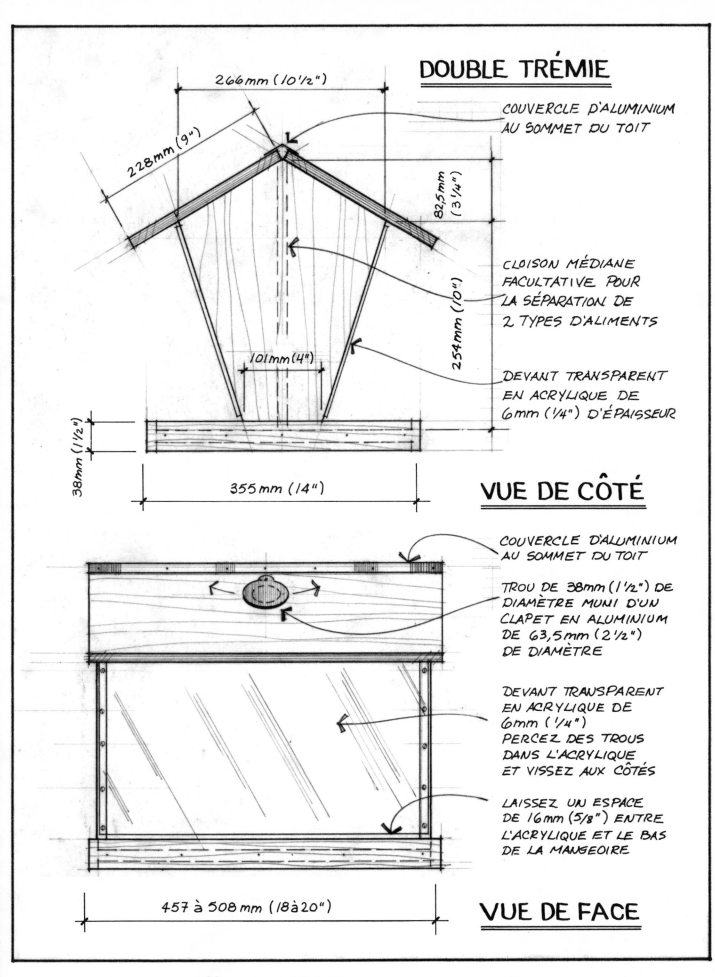

DOUBLE TRÉMIE

266mm (10½")

228mm (9")

82,5mm (3¼")

COUVERCLE D'ALUMINIUM
AU SOMMET DU TOIT

254mm (10")

CLOISON MÉDIANE
FACULTATIVE POUR
LA SÉPARATION DE
2 TYPES D'ALIMENTS

101mm (4")

DEVANT TRANSPARENT
EN ACRYLIQUE DE
6mm (¼") D'ÉPAISSEUR

38mm (1½")

355mm (14")

VUE DE CÔTÉ

COUVERCLE D'ALUMINIUM
AU SOMMET DU TOIT

TROU DE 38mm (1½") DE
DIAMÈTRE MUNI D'UN
CLAPET EN ALUMINIUM
DE 63,5mm (2½")
DE DIAMÈTRE

DEVANT TRANSPARENT
EN ACRYLIQUE DE
6mm (¼")
PERCEZ DES TROUS
DANS L'ACRYLIQUE
ET VISSEZ AUX CÔTÉS

LAISSEZ UN ESPACE
DE 16mm (5/8") ENTRE
L'ACRYLIQUE ET LE BAS
DE LA MANGEOIRE

457 à 508 mm (18 à 20")

VUE DE FACE

MANGEOIRE À SUIF

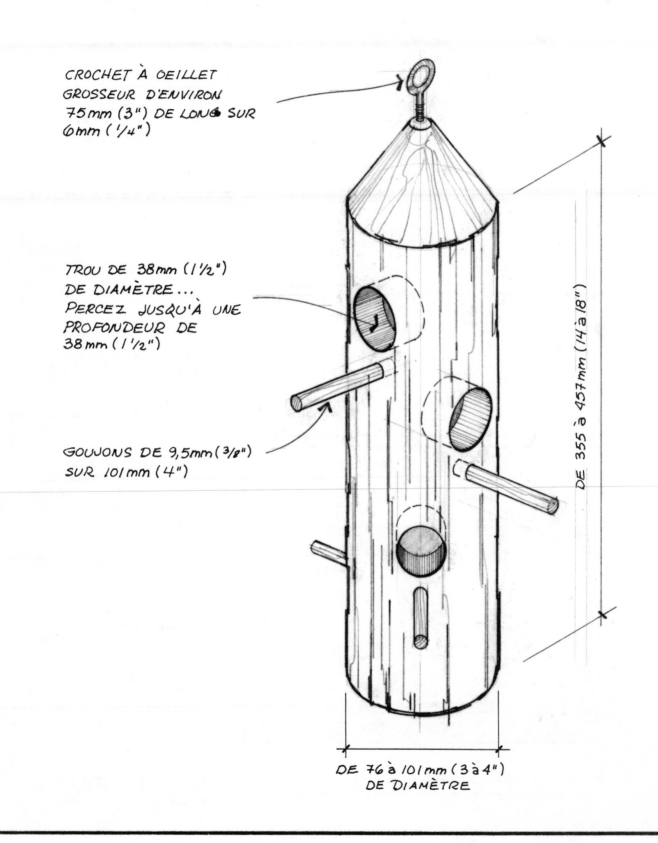

CROCHET À OEILLET
GROSSEUR D'ENVIRON
75mm (3") DE LONG SUR
6mm (1/4")

TROU DE 38mm (1½")
DE DIAMÈTRE...
PERCEZ JUSQU'À UNE
PROFONDEUR DE
38mm (1½")

GOUJONS DE 9,5mm (3/8")
SUR 101mm (4")

DE 355 à 457mm (14 à 18")

DE 76 à 101mm (3 à 4")
DE DIAMÈTRE

MANGEOIRES À SUIF

Avec une bûche de thuya, de sapin ou de bois dur, on peut faire une excellente mangeoire pour gras animal. Trouvez une bûche de 76 à 100 mm (3 à 4") de diamètre et de 355 à 455 mm (14 à 18") de longueur. Percez-y des trous d'un diamètre de 32 à 38 mm (1¼ à 1½") jusqu'à 38 mm (1½") de profondeur. Vous garnirez ensuite ces trous de suif fondu et de mélanges de suif et de graines. Pendue par un bout à un crochet à œillet, cette mangeoire verticale est tout à fait au goût des Pics. Si vous ajoutez sous les trous quelques goujons de 32 mm (1¼") de diamètre pour servir de perchoirs, d'autres oiseaux seront aussi capables de l'utiliser.

En ne dépouillant pas la bûche de toute son écorce rugueuse, vous permettez également à diverses espèces d'oiseaux d'avoir prise pendant qu'ils mangent. Afin de protéger vos hôtes contre des blessures possibles, assurez-vous que la matière dont vous vous servez pour suspendre cette mangeoire se voit bien — un fil métallique épais recouvert de plastique est idéal.

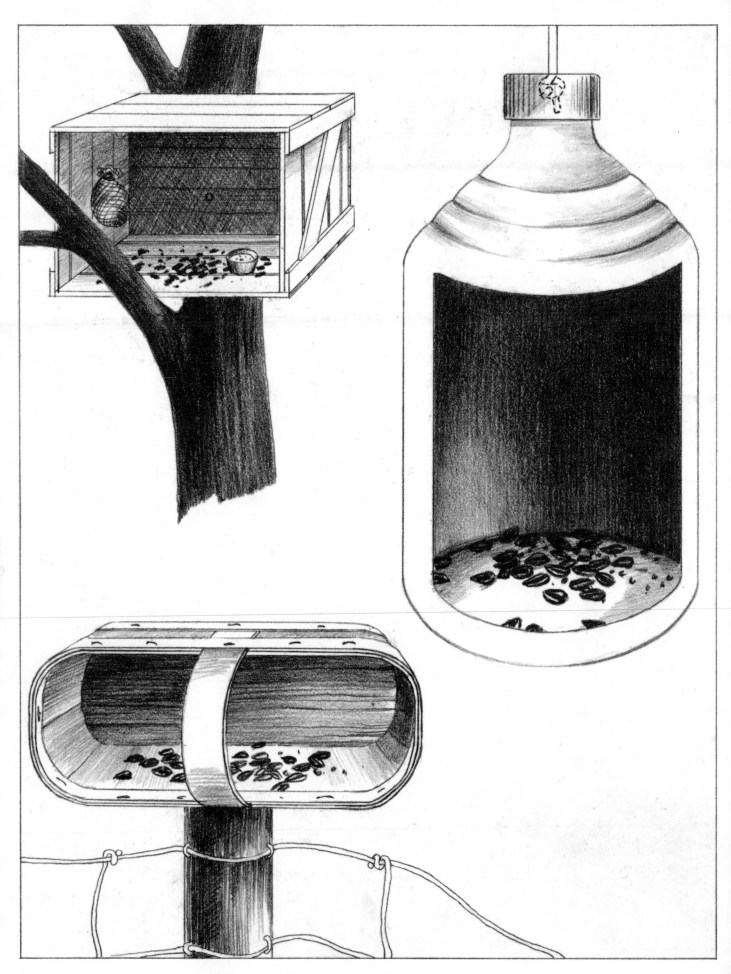

LES ENFANTS ET LES MANGEOIRES

Pourvu qu'on les aide un peu, les enfants sont capables d'éprouver un plaisir fou à confectionner diverses espèces de mangeoires et de plats cuisinés pour oiseaux. Les mangeoires que l'on obtient en modifiant des caisses de pommes ou de raisins offrent un abri sûr; on peut les monter sur des arbres ou des piquets de clôture. Des coques de noix de coco suspendues font merveille pour la présentation du suif et de mélanges de suif et de graines, même si elles ne conviennent qu'aux oiseaux de petite taille.

Une caisse de pommes, une bouteille de plastique et un panier à fruits modifiés font des mangeoires pratiques.

Demandez à des enfants de remplir de suif et de graines des demi-pamplemousses évidés ou d'enduire de beurre d'arachide des cônes pour aller ensuite suspendre le tout à l'extérieur; vous les tiendrez occupés pendant des heures. Et que diriez-vous de les aider à construire une mangeoire au moyen d'un carton de lait vide ? La surprise des enfants sera grande lorsqu'ils constateront que leurs œuvres servent pour de vrai à nourrir les oiseaux. Avec un peu d'imagination, on peut réaliser des mangeoires très pratiques à partir des matériaux les plus inattendus. Assurez-vous seulement que ceux-ci sont sans danger pour les oiseaux.

NOURRIR DANS LE CREUX DE LA MAIN

Quand vous aurez nourri les oiseaux dans votre cour pendant un certain temps, vous vous rendrez compte que certains individus s'habituent à votre présence. Une fois que vous aurez établi une relation détendue et stable, entre vous et vos hôtes réguliers, présentez-leur quelques graines de tournesol sur votre main tendue. Vous verrez avant longtemps, si votre patience et votre calme tiennent le coup, des Mésanges trouvent l'audace de venir s'y poser. Évitez tout geste vif ou brusque sur leur aire d'alimentation. C'est tout un honneur de se faire accepter ainsi.

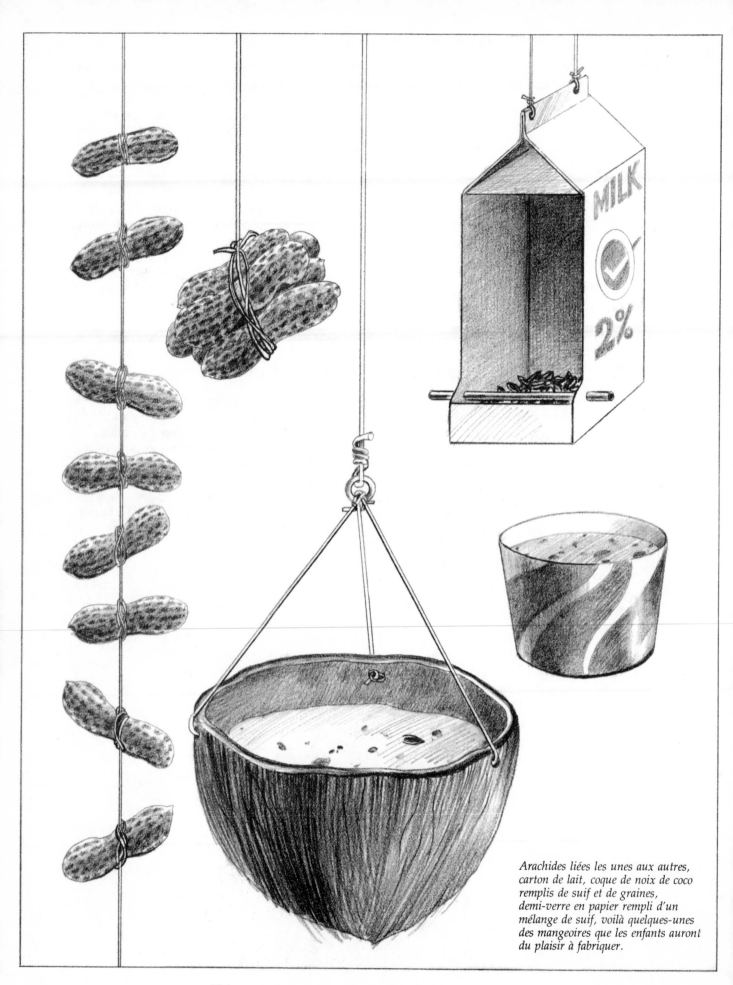

Arachides liées les unes aux autres, carton de lait, coque de noix de coco remplis de suif et de graines, demi-verre en papier rempli d'un mélange de suif, voilà quelques-unes des mangeoires que les enfants auront du plaisir à fabriquer.

Le calme et la patience peuvent être gratifiants.

Où placer la mangeoire:

1. *Suif attaché à une branche*
2. *Petite mangeoire suspendue*
3. *Mangeoire du type trémie double*
4. *Mangeoire en forme de tablette posée sur le rebord d'une fenêtre*
5. *Bûche suspendue enduite de gras animal*
6. *Mangeoire en forme de tablette posée sur une balustrade*
7. *Table au ras du sol*
8. *Tiges de maïs et de tournesols séchés laissées dans le jardin*
9. *Mangeoire en forme de tablette posée sur le rebord d'une fenêtre du premier étage*
10. *Mangeoire sur pied à fond plat sur un piquet de clôture*

Notez la commodité de l'emplacement de la plupart des mangeoires par rapport à celui de la porte arrière. Notez également la haie de thuyas et la forêt à l'arrière-plan: elles servent d'abri naturel contre le vent.

NOURRIR LES OISEAUX EN HIVER

5

La création d'un habitat naturel

Comment veut-on que les oiseaux chantent quand on abat les bosquets d'arbres où ils aiment se tenir?

H. Thoreau, *Walden*

Aspects d'une même cour présentant des arbustes et des conifères dans leur deuxième année d'existence (illustration du centre) et leur quinzième année (illustration du bas). Il est possible en un laps de temps relativement court de transformer un terrain nu en un jardin naturel — abrité, intime et agréable à voir en toute saison.

Lorsqu'en hiver le sol gelé se couvre de neige, les oiseaux doivent se mettre à parcourir le pays en tous sens afin de repérer des endroits où trouver des baies et des graines. Bon nombre d'entre eux en sont venus à compter sur les diverses plantes poussant dans nos jardins comme une source sûre de nourriture et de protection. Plus varié sera notre éventail d'arbres, d'arbustes, de fleurs et de plantes potagères, plus nombreux et plus divers seront les oiseaux que nous recevrons (même en hiver). Dans tous les lieux où nous favorisons la vie des plantes, nous favorisons aussi la vie de la faune sauvage. Même les mauvaises herbes montées en graines servent de domicile à maints oiseaux.

Idéalement, les aires naturelles d'alimentation se situent en ces endroits particuliers que délimite la rencontre d'un champ avec une forêt ou d'un parterre avec un bosquet. C'est la combinaison d'un espace à découvert pour l'alimentation et d'un sous-bois pour la protection qui semble attirer le plus grand nombre d'oiseaux. À la lisière des forêts, ces derniers trouvent une très grande diversité de végétaux rassemblés dans un même endroit à leur échelle. La plupart des arbustes et des arbres feuillus, même après la chute de leurs feuilles, constituent un abri contre le vent et leur enchevêtrement de branches dénudées, une cachette où échapper aux prédateurs. Une cour bien « paysagée » présentera habituellement les conditions nécessaires pour attirer les oiseaux. On peut y trouver des espaces libres de pelouses au centre, des parterres de fleurs en bordure et des arbustes, des arbres et des haies sur son pourtour. Cet agencement courant est d'un entretien pratique, protège des regards indiscrets et, du point de vue du jardinier, permet une bonne vue sur l'ensemble des plantations. Parvenu à maturité, un tel aménagement ne peut que présenter certaines conditions favorables à la présence d'oiseaux. Branches en surplomb des arbustes et des arbres, enchevêtrements de tiges de fleurs, fourrés et haies couverts de neige, voilà tous des habitats idéaux pour les oiseaux qui n'émigrent pas en hiver.

Dans la recherche d'une nourriture, chaque type d'oiseau a sa méthode propre. Les Juncos et les Pinsons picorent sur le sol dans les terrains protégés, les Mésanges et les Troglodytes volettent dans les branches basses des arbres et des arbustes, et les Sittelles et les Pics, en quête d'insectes susceptibles de se cacher dans l'écorce des gros arbres, explorent ceux-ci en décrivant une spirale. L'illustration ci-après montre les divers points où se répartiront différentes espèces d'oiseaux à la lisière d'une forêt.

On trouve fréquemment, poussant le long d'un mur de clôture en bordure d'un champ ou d'un terrain de ferme à découvert, un assemblage hétérogène de plantes sauvages où les oiseaux peuvent venir chercher de la nourriture. Mentionnons parmi elles, les cerisiers à grappes, les cerisiers d'été, les aubépines, les

NOURRIR LES OISEAUX EN HIVER

pommiers, les mûriers, les framboisiers et les céréales sauvages. Les clôtures qui longent la lisière d'une forêt présentent davantage de variété encore. Le sol de ces endroits constitue l'aire d'alimentation favorite du Faisan à collier, de la Gélinotte huppée et du Colin. D'habitude, les herbes hautes peuvent adéquatement abriter ces oiseaux et les protéger du vent.

C'est dans le feuillage dense de conifères comme le thuya, la pruche, le pin, le sapin et l'épinette que de nombreux oiseaux trouvent leur meilleur abri en hiver; ces arbres représentent aussi pour eux, par leurs cônes, leurs bourgeons et les insectes qui s'y cachent, une bonne source d'approvisionnement. Extrêmement touffues, les haies de thuyas en pleine végétation sont toutes désignées pour servir de clôtures naturelles. Les conifères décoratifs, à l'exemple des nombreuses variétés de genévriers mises en marché, se présentent sous des formes et des tailles diverses, ce qui permet de camoufler les murs nus de votre maison tout en ne masquant pas les fenêtres. Parmi les genévriers rampants, il en est dont l'épais branchage porteur de baies, entièrement recouvert de neige en hiver, laisse place pour un abri accessible aux oiseaux.

Les pépinières font commerce d'un incroyable assortiment de conifères, sans doute parce que, contrairement à d'autres arbres et arbustes qui mettent plus longtemps à s'établir, ils peuvent former instantanément un ensemble paysager. On trouve habituellement des kiosques de vente locaux de conifères dans les parties nordiques du nord-est de l'Amérique et le long de la côte du Pacifique ainsi que dans les régions montagneuses.

Les arbres de bois dur poussant librement dans la nature, comme le chêne, l'érable et le hêtre, peuvent atteindre de telles proportions que la ramée d'un seul d'entre eux suffit à abriter une cour entière. Certains grands arbres sont en eux-mêmes des habitats complets. Bien que dénudés l'hiver, ils constituent, par leur enchevêtrement de branches, ou voûte, un excellent refuge pour les oiseaux percheurs et se nourrissant au sol. Il arrive que se forment de gros trous dans le tronc de ces arbres dont l'intérieur, avec l'aide des insectes, peut devenir un dédale de nids d'écureuils, de Pics et d'oiseaux d'autres espèces. La plupart des arbres de bois dur connaissent une croissance lente et ne s'établissent que difficilement à découvert. Pour cette raison, il convient de subordonner toute installation à la préservation de ces irremplaçables monuments naturels.

Avec un peu de soin, les variétés d'érable à croissance plus rapide (érable de Norvège, érable « Crimson King ») peuvent devenir de beaux spécimens. L'érable à Giguère est aussi un arbre à croissance rapide, suffisamment rapide pour pousser dans la région des Prairies, et parmi les seuls arbres assez gros pour servir adéquatement d'abri contre les vents froids de l'hiver qui soufflent là-bas. Il vous est loisible de planter d'autres arbres à croissance rapide tels le tilleul, le frêne, le saule, le peuplier et l'orme.

PLANTATIONS D'ARBUSTES

Les plantations d'arbustes peuvent répondre à une multitude d'objectifs. Leur but le plus commun consiste à aider les bâtiments à s'harmoniser au reste du paysage. Grâce aux plantes qui

NOURRIR LES OISEAUX EN HIVER

poussent en dessous ou à côté des fenêtres, à la nourriture qu'elles portent et à l'abri qu'elles représentent, vous avez la possibilité d'observer de plus près de nombreus oiseaux. Une plantation d'arbustes dans votre cour, cela peut donner de magnifiques fourrés où beaucoup d'oiseaux iront se cacher tout en se livrant à la recherche de baies, de graines et de bourgeons. Il existe des arbustes indigènes qui poussent à l'état naturel dans votre région. Vous devriez veiller à ce qu'ils parviennent à maturité, car les oiseaux risquent de leur trouver autant d'utilité qu'aux arbustes décoratifs de votre cour. La plupart des arbustes présentent des tiges nombreuses plutôt qu'un tronc ou une tige unique : ainsi se créent des espaces abrités et des perchoirs cachés à proximité du sol. Souvent, les arbustes de type épineux empêcheront l'intrusion d'animaux plus gros et d'oiseaux de proie sur les aires d'alimentation d'oiseaux de petite taille.

L'enchevêtrement des branches d'un seul chêne peut offrir abri et nourriture à de nombreux oiseaux et mammifères d'espèces différentes.

PLANTES POTAGÈRES

Le jardin que vous faites pour vous nourrir servira inévitablement à nourrir divers oiseaux. Il vous faudra peut-être adopter certaines dispositions pendant les mois d'été afin d'empêcher les oiseaux d'emporter toutes vos framboises, vos cerises et vos fraises; mais ce qui restera dans votre jardin en automne (plantes montées en graines) peut aider de nombreux oiseaux pendant la durée de l'hiver. Tournesols, maïs et haricots sont le genre de « restes » que la neige ne recouvrira pas entièrement.

Voici une liste de divers arbustes, arbres et plantes potagères qui portent des fruits comestibles durant les mois d'hiver. Au moment de réaliser l'aménagement paysager d'une cour, vous auriez intérêt à envisager la plantation de certains des végétaux énumérés ci-après :

PLANTES QUI GARDENT LEURS FRUITS PENDANT LES MOIS D'HIVER

Phellodendron de l'Amur
Chèvrefeuille de l'Amur
Berbéris
Myrica de Pennsylvanie
Micocoulier occidental
Symphorine à feuilles rondes
Genévrier de Virginie
Airelle canneberge
Aubépine
Houx
Kerria
Olivier de Bohême
Pommetier de Sargent
Symphorine
Simac vinaigrier
Viorne
Houx verticillé

QUELQUES PLANTES OÙ NICHENT LES OISEAUX EN ÉTÉ

Berbéris
Nerprun
Pommetier
Cornouiller
Sureau
Aubépine
Pruche
Houx
Mûrier
Alisier
Pin
Épinette

QUELQUES PLANTES POUVANT SERVIR À FORMER UNE HAIE OU UN RIDEAU DE VERDURE

Berbéris
Troène
Thuya
Lilas
Genévrier
Sapin
Deutzie
Houx
If
Pruche

PLANTES GRIMPANTES (POUR DISSIMULER LES MURS À NU, LES CLÔTURES)

Clématite
Célastre
Fusain
Lierre anglais
Lierre de Boston
Vigne vierge
Jasmin de Virginie

QUELQUES PLANTES QUI ATTIRENT LES OISEAUX POUR LEURS FRUITS, EN ÉTÉ ET EN AUTOMNE

Viorne
Ronce du Canada
Sureau bleu
Cerisier à grappes
Cerisier de France
Cotonéastre
Pommetier
Cornouiller
Airelle en corymbe
Viorne trilobée (Pimbina)
Kerria
Sorbier
Mûrier
Alisier
Cerisier de Pennsylvanie
Prunier
Pyracanthe
Framboisier
Amélanchier
Sumac

Brise-vent naturels:
1. *Haie de thuyas (cèdres)*
2. *Houx*
3. *Conifères mélangés*
4. *Troènes*
5. *Vallée*
6. *Verger*
7. *Clôture bordée de plantes montées en graines*
8. *Arbres adultes mélangés*

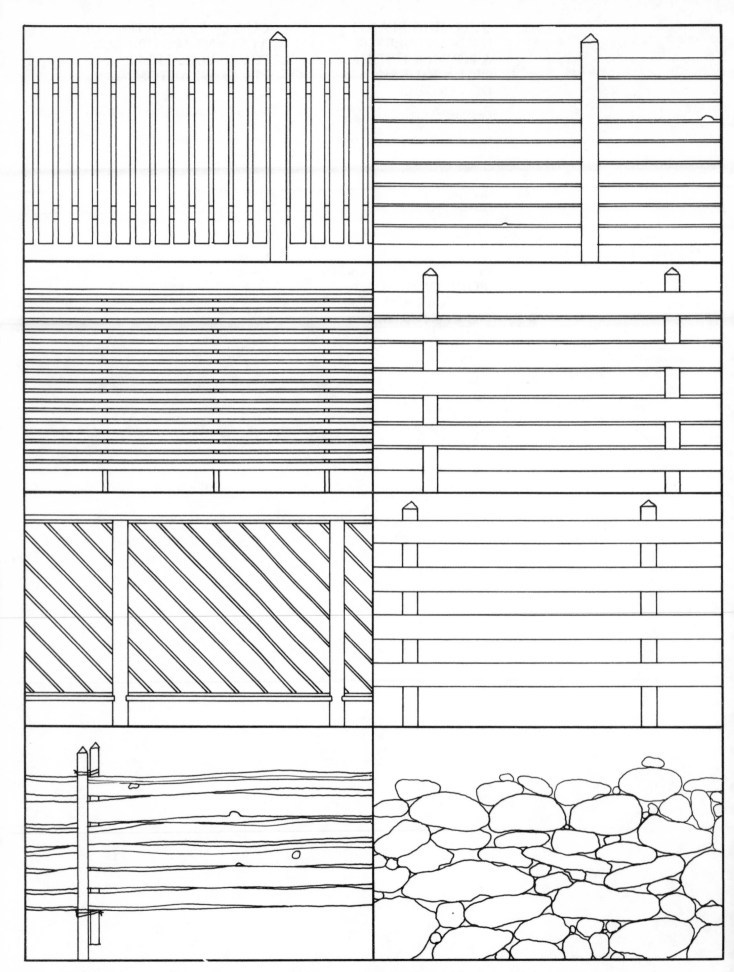

NOURRIR LES OISEAUX EN HIVER

*En attendant l'apparition des arbustes
et de la végétation, des brise-vent
à effet immédiat sous forme de clôtures
feront l'affaire. Les différents styles
illustrés ici sont tous de nature à
protéger des indiscrets et à offrir
un abri.*

NOURRIR LES OISEAUX EN HIVER

6

Problèmes et solutions

Le chat revient d'une promenade matinale dans les hautes herbes. Gorgé de pinsons, il ne veut plus rien manger de la matinée. Mais il accepterait quand même une écuelle de lait, le cher petit! Je l'ai vu étudier l'ornithologie entre les rangs de corneilles.

H. Thoreau, *Walden*

La plupart des écureuils trouveront moyen d'envahir une mangeoire, quelle qu'elle soit. Mais il suffira de leur en rendre l'approche difficile pour les empêcher de régner en despotes sur l'aire d'alimentation.

LES ÉCUREUILS

Si vous devez les chasser toutes les cinq minutes, ce peut être très frustrant d'avoir à préserver vos mangeoires de la voracité des écureuils. Dans le cas de mangeoires du type trémie ou plates-formes sur pied, la pose d'un morceau d'aluminium en forme d'entonnoir renversé ou d'une feuille d'acier galvanisé sur le piquet de soutien peut faire effet. Il convient de suspendre les petites mangeoires et les sacs de suif à distance des branches, des toits et des arbres afin d'empêcher les écureuils de sauter jusqu'à elles. Si vous les faites pendre du milieu d'un fil métallique tendu (à recouvrement de plastique visible), il sera difficile aux intrus de s'en approcher. Glissez le fil dans un bout de tuyau d'arrosage de 1,50 m (5 pieds) de long de chaque côté du point de suspension : les écureuils auront encore plus de mal à s'y tenir en équilibre.

Quant au filet contenant le suif, attachez-le solidement à l'aide de ficelle sans quoi les écureuils risquent d'emporter tout le sac.

Vous aurez l'occasion de le constater, les petits écureuils roux sont plus agressifs que les autres. Il existe très peu de stratagèmes capables de les leurrer longtemps. Les regarder essayer leurs dernières tactiques est un spectacle fascinant. Tant que vos dispositifs les empêcheront d'approcher, vous verrez qu'il n'est pas nécessaire de les chasser. Ne soyez pas trop impitoyable : les écureuils mettent en réserve la plus grande part de leur butin, ils ont mauvaise mémoire, et avant longtemps, les oiseaux auront découvert la moitié de leurs caches.

Par ailleurs, si vous déposez à l'intention des écureuils quelques-uns de leur aliments préférés (arachides, restes de suif) dans un endroit spécial, situé à l'écart de vos mangeoires, vous arriverez peut-être à détourner leur attention assez longtemps pour permettre aux oiseaux moins audacieux de venir manger.

LES OISEAUX QUI S'ARROGENT LA PRIORITÉ

Il est vain d'espérer nourrir les oiseaux plus timides de préférence aux omniprésents Étourneaux et Moineaux domestiques. Vous avez des chances d'en semer quelques-uns en allant éparpiller sur le sol, à distance de vos mangeoires habituelles, certains de leurs aliments favoris (pain et petites graines). La suppression de ces aliments peut également réduire leur nombre.

Il arrive aussi aux Geais bleus de se montrer très envahissants aux mangeoires. Leur comportement tapageur et leur grande taille réussissent à intimider d'autres oiseaux. D'un autre côté, ils sont

DISPOSITIF PROTECTEUR CONTRE LES ÉCUREUILS

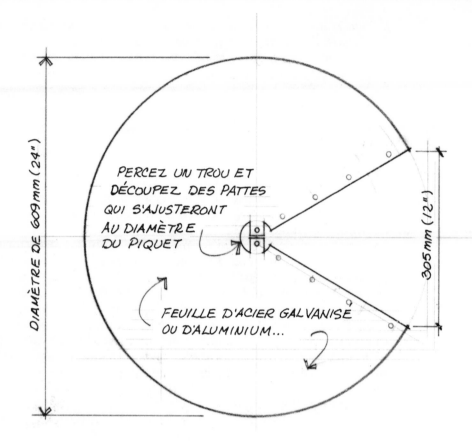

PERCEZ UN TROU ET
DÉCOUPEZ DES PATTES
QUI S'AJUSTERONT
AU DIAMÈTRE
DU PIQUET

DIAMÈTRE DE 609mm (24")

305mm (12")

FEUILLE D'ACIER GALVANISE
OU D'ALUMINIUM...

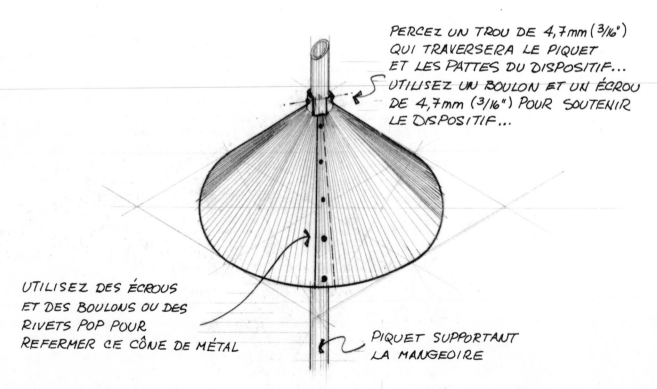

PERCEZ UN TROU DE 4,7mm (3/16")
QUI TRAVERSERA LE PIQUET
ET LES PATTES DU DISPOSITIF...
UTILISEZ UN BOULON ET UN ÉCROU
DE 4,7mm (3/16") POUR SOUTENIR
LE DISPOSITIF...

UTILISEZ DES ÉCROUS
ET DES BOULONS OU DES
RIVETS POP POUR
REFERMER CE CÔNE DE MÉTAL

PIQUET SUPPORTANT
LA MANGEOIRE

AUTRES DISPOSITIFS PROTECTEURS
CONTRE LES ÉCUREUILS

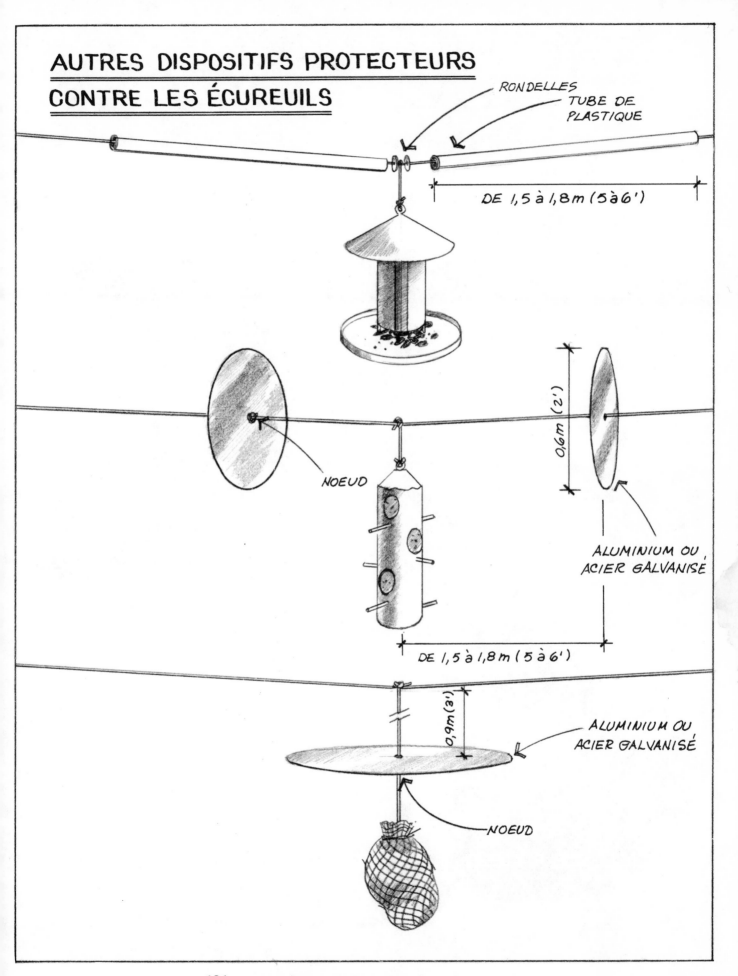

RONDELLES

TUBE DE PLASTIQUE

DE 1,5 à 1,8m (5 à 6')

NOEUD

0,6m (2')

ALUMINIUM OU ACIER GALVANISÉ

DE 1,5 à 1,8m (5 à 6')

0,9m (3')

ALUMINIUM OU ACIER GALVANISÉ

NOEUD

NOURRIR LES OISEAUX EN HIVER

très utiles, en ce sens qu'ils sont les premiers à crier quand par hasard un chat fait son entrée en scène.

Les Geais bleus ne voyagent pas en bande nombreuse comme les Gros-becs errants dont l'arrivée peut survenir à la fin de l'hiver. Lorsque la période la plus froide de l'hiver est passée, assurez-vous que plusieurs mangeoires sur pied sont abondamment garnies de graines de tournesol afin de prévenir leur trop grande affluence. Ne désespérez pas — l'envahisseur jaune disparaîtra aussi vite qu'il est venu.

LES CHATS

Au moment d'installer une mangeoire ou d'éparpiller des aliments au sol, évitez la proximité d'un feuillage extrêmement dense et d'autres endroits pouvant servir de cachettes aux chats. Aucune mesure disciplinaire ne changera jamais la nature fondamentale d'un chat. Mettez au vôtre une clochette (il va de soi que si ce dernier décime la population volatile, vous devriez renoncer tout à fait à nourrir les oiseaux dans votre cour).

L'alimentation au sol à proximité d'un feuillage dense peut mettre les oiseaux à la merci d'un chat aux aguets.

PERTES

Les aliments que les gros oiseaux font tomber de vos mangeoires, seront happés par des oiseaux se nourrissant au sol comme les Juncos et les Pinsons. Si vous trouvez des quantités anormales de nourriture par terre, il peut se révéler nécessaire de hausser les côtés du rebord entourant la plate-forme sur pied.

AFFLUENCE TROP GRANDE

En cas d'affluence trop grande à votre aire d'alimentation, vous pourriez essayer d'installer une table au ras du sol ou une autre mangeoire suspendue. L'expansion a des chances d'être la solution à votre problème. Cependant, si la plupart de vos hôtes sont des Moineaux domestiques et des Étourneaux, essayez de réduire la quantité de pain et de petites graines que vous donnez et interrompez l'alimentation au sol jusqu'à ce que leur nombre soit revenu à une proportion raisonnable.

MAUVAIS TEMPS ET TEMPÉRATURES ANORMALES

Au début du printemps, de nombreux oiseaux remontent vers le nord, mais certains arrivent un peu trop tôt et se font surprendre par de fortes chutes de neige ou des pluies *verglassantes*. En de telles circonstances éparpillez de tous côtés divers aliments après que la tempête se soit calmée. Vous permettrez ainsi à un nombre beaucoup plus grand d'oiseaux de se nourrir, particulièrement les oiseaux timides ou non familiarisés avec vos mangeoires. Sur la côte ouest, le temps peut brusquement se gâter à tout moment durant les mois d'hiver et le ciel, déverser un pied de neige mouillée en quelques heures. Encore là, la distribution d'un petit extra sur une grande étendue viendra au secours des oiseaux jusqu'au dégel.

HYGIÈNE ET ENTREPOSAGE

Entreposez les céréales, les graines de tournesol, le maïs, etc., dans un endroit sec et frais, de préférence dans des contenants à couvercles (des poubelles de plastique par exemple). Certaines

formes de moisissure dans les céréales et le maïs sont toxiques.
Tenez-les au sec.

Conservez le suif au réfrigérateur et veillez à le remplacer,
lorsqu'il s'y trouve depuis longtemps, car il risque d'avoir ranci.
Les mangeoires à suif devraient être placées à l'ombre. Retirez
des mangeoires les aliments vieux ou humides. C'est une bonne
pratique que de laver périodiquement celles-ci pour en faire
disparaître les débris de nourriture laissés par leurs visiteurs.
ÉVITEZ DE DONNER AUX OISEAUX QUOI QUE CE SOIT
DE GÂTÉ, DE MOISI, DE RANCE OU D'INFECTÉ.

Ne jonchez pas votre cour de monceaux de restes qui risquent
de pourrir ou de vous attirer des hôtes indésirables.

OISEAUX SE BLESSANT AUX FENÊTRES

Certains jours, il y aura tant de va-et-vient au-dehors de vos fenêtres qu'il ne pourra manquer de se produire des accidents. Si vos mangeoires sont du côté éclairé de votre maison, vous avez des chances de voir moins d'oiseaux se heurter à vos fenêtres, car le soleil devrait produire un effet de réflexion ou d'éblouissement. Par contre, si vous nourrissez les oiseaux du côté ombragé de votre maison, vous courez le risque que ceux-ci tentent de traverser une fenêtre pour sortir de l'autre côté où peut-être, ils peuvent voir un paysage. Une solution possible consiste à suspendre des rideaux diaphanes ou à tirer les draperies sur les fenêtres là où c'est faisable. Coller à l'extérieur de la vitre un morceau de papier frangé de 250 mm sur 100 mm (10" sur 4") contribuera à dissuader les oiseaux de voler au travers (voir illustration).

Lorsqu'un oiseau vient de heurter votre fenêtre, il peut n'être qu'étourdi. Prenez-le avec précaution dans la paume de votre main. Vous devriez sentir une palpitation rapide si l'oiseau est en vie. Quand l'oiseau bat des ailes et que son corps est agité de spasmes, gardez-le gentiment confiné dans votre main. Placez les oiseaux assommés dans une boîte garnie d'une serviette de papier (boîte à chaussures) qui permet la ventilation. Tenez l'oiseau au chaud, dans un endroit isolé et calme, jusqu'à ce qu'il soit complètement rétabli. Limitez ses mouvements désordonnés,

Du côté ombragé d'une maison, l'effet d'éblouissement ou de réflexion que produit le soleil contre les fenêtres, sera à son minimum. Si la vitre laisse passer une lumière ou l'image d'un paysage, les oiseaux seront plus sujets à traverser les fenêtres, prenant à tort cette route pour un passage sans obstacle.

Pour prévenir les accidents, il peut être utile de coller une banderolle de simple papier ou de papier d'aluminium sur l'extérieur de la vitre ou encore de poser des rideaux diaphanes à la fenêtre.

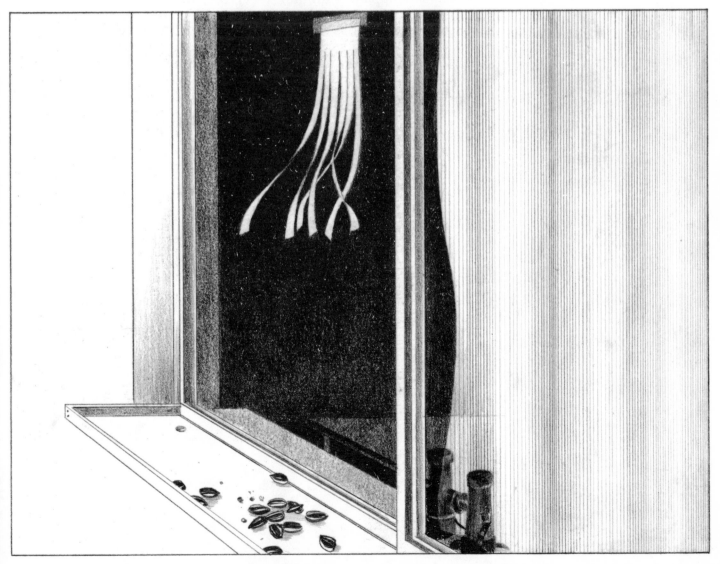

car ils risquent de se blesser davantage. Le moment venu de remettre l'oiseau en liberté, faites-le à l'endroit où vous l'avez trouvé.

LE MÉTAL

N'utilisez pas de métal sur les mangeoires où les oiseaux viendront se poser ou se nourrir. Les yeux et leur langue risquent de geler s'il leur arrive d'entrer en contact avec ces surfaces froides. De même, le métal peut présenter des bords ébréchés susceptibles de causer des coupures. L'usage de fils métalliques pour suspendre les mangeoires n'a rien de mauvais tant qu'il s'agit d'un fil clairement visible. Le fil à gaine de plastique colorée est celui qui convient le mieux. Lorsque vous construisez des mangeoires pour suif, évitez de vous servir de filets à mailles de métal pour contenir la graisse. Il est plus sûr et plus facile d'utiliser un filet de pêche ou un sac à oignons à mailles de plastique.

Quand survient la dernière tempête de neige, prenant au dépourvu de nombreux oiseaux à peine revenus du sud, allez éparpiller des aliments dans tous les environs.

ENDUITS PROTECTEURS

N'appliquez pas d'enduits protecteurs sur les mangeoires, car la plupart contiennent des composés dangereux, toxiques, qui annihilent la croissance des champignons. L'épreuve du temps donne au bois une attrayante couleur gris argenté, et s'il vous faut absolument appliquer un fini, servez-vous d'huile de lin ou de vernis marin. Laissez sécher complètement le vernis marin avant de commencer à vous servir de la mangeoire. Ce produit n'est pas toxique et peut supporter des températures extrêmes sans se fendre ni s'écailler. En ce qui concerne les piquets de bois, il vous est loisible de les recouvrir d'un enduit protecteur, mais seulement sur les parties destinées à être enfoncées dans le sol.

PROBLÈMES ET SOLUTIONS

Ouvrages conseillés

Bull, John et John Farrand jr. *The Audubon Society Field Guide to North American Birds.* New York, A.A. Knopf, 1977.

Cayouette, Raymond et Jean-Luc Grondin. *Les Oiseaux du Québec.* Orsainville, Société zoologique de Québec, 1977.

_____ . *Nichoirs d'oiseaux.* Charlesbourg, Société zoologique de Québec, 1978.

Clement, Roland C. *The Living World of Audubon.* New York. Grosset & Dunlop, 1974.

David, Normand et Michel Gosselin. *Observer les oiseaux au Québec.* Québec Science, FQLS 1981.

Godfrey, W. Earl. *Les Oiseaux du Canada.* Illustré par S.D. MacDonald. Ottawa, Musées nationaux du Canada/Musée national des Sciences naturelles, 1966.

Goodwin, Derek. *Birds of Man's World.* Ithaca, N.Y. et Londres, Cornell University Press & British Museum (Natural History), 1978.

Livingston, J.A. *Birds of the Eastern Forest, 1.* Illustré par J.F. Landsdowne. Toronto, McClelland & Stewart, 1968.

_____ . *Birds of the Eastern Forest, 2.* Illustré par J.F. Landsdowne. Toronto, McClelland & Stewart, 1970.

_____ . *Birds of the Northern Forest.* Illustré par J.F. Landsdowne. Toronto, McClelland & Stewart, 1966.

_____ . *Birds of the West Coast.* Illustré par J.F. Landsdowne. Toronto, McClelland & Stewart, 1976.

Peterson, Roger Tory. *A Field Guide to the Birds.* Boston, Houghton Mifflin Company, 1980. Il s'agit d'un excellent ouvrage de référence auquel on peut se fier en ce qui a trait à la détermination des espèces d'oiseaux.

_____ . *A Field Guide to Western Birds.* Boston, Houghton Mifflin Company, 1961.

Robbins, Chandler S. et al, *Guide des oiseaux d'Amérique du Nord.* Laprairie, Marcel Broquet, 1980.

Achevé d'imprimer
en novembre mil neuf cent quatre-vingt-deux
sur les presses de l'Imprimerie Gagné Ltée
Louiseville - Montréal.

Dépôt légal : 4e trimestre 1982
Bibliothèque nationale du Québec
Bibliothèque nationale du Canada

Imprimé au Canada